LE DOUBLE CONTE DE L'EXIL

DU MÊME AUTEUR

Les chants du Karawane

Ma chambre Belge

Nicolas le fils du Nil

Quarante voiles pour un exil

Les voix du jour et de la nuit

Mona Latif Ghattas

LE DOUBLE CONTE DE L'EXIL

Roman

Boréal

Conception graphique: Gianni Caccia
Photo de la couverture: Nicole Toutounji

Dépôt légal: 1er trimestre 1990
Bibliothèque nationale du Québec

Diffusion au Canada: Dimedia

Données de catalogage avant publication (Canada)

Latif Ghattas, Mona, 1946-
Le double conte de l'exil

ISBN 2-89052-330-6

I. Titre.
PS8573.A84D68 1990 C843'.54 C90-096147-3
PS 9573.A84D68 1990 PQ 3919.2.L37D68 1990

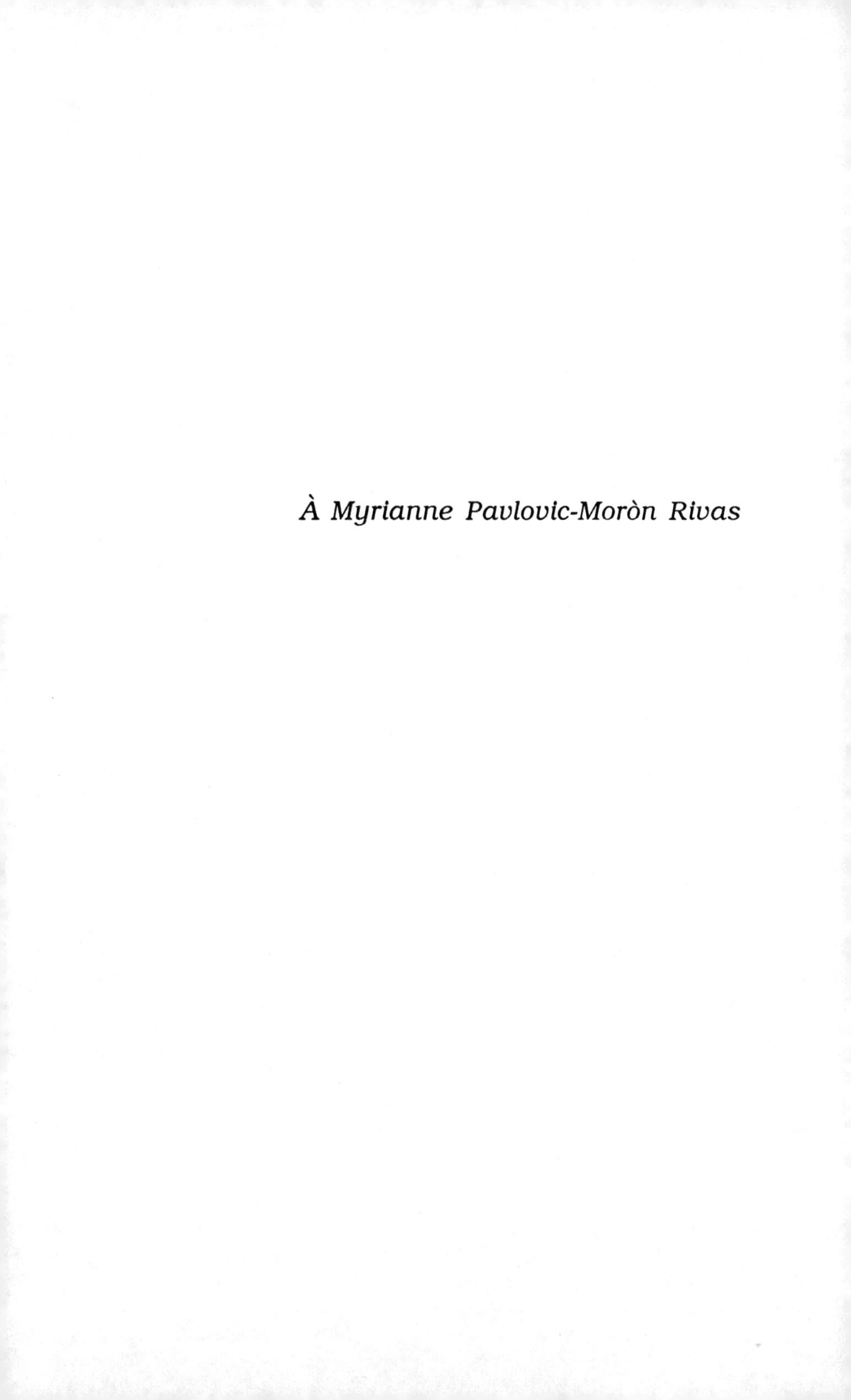

À Myrianne Pavlovic-Moròn Rivas

Ils se sont aimés jusqu'à la fonte des neiges. Jusqu'au dégel de la plus fine pellicule de glace sur la chaussée. Ils ont vu l'irruption des bourgeons au printemps et le vert somptueux des érables en été. Il a aimé ce pays comme on aime la femme qui vous sort de l'enfance. Absolument. Il a appris sa langue et lui a transmis des fragments de la sienne. Il venait de si loin. D'un monde si vieux que ses phonèmes résonnaient comme les oracles qui hantent nos imaginaires en perpétuel devenir. Elle l'avait recueilli chez elle sans le moindre préjugé. Sans même lui demander l'origine de son nom. Émerveillée devant la beauté de sa peau d'acajou et le profond regard de ses yeux noirs qui perçaient son silence. Elle avait patiemment répété ces mots qu'il ne comprenait pas. Il les avait attentivement écoutés avec l'ardent désir de les induire dans son destin.

Ils se sont inconsciemment transmis les codes de leur savoir. Dans la timidité des courageux qui survivent aux blessures de l'Histoire. Et dans la louable innocence de ceux qui ne sauront jamais par quel miracle ils sont parvenus à traverser le temps. Elle avait ouvert pour lui toutes les lucarnes de ses sens. Il ne se lassait pas de l'admirer, elle et ce pays, elle et ces paysages mouvants, cycliques, de qui il avait appris que tout renaît par la force de la vie. Entre eux se sont tissés des liens ténus, ces liens têtus qui ne cèdent qu'en apparence au chantage de l'Histoire. Lianes entremêlées dans la chaleur de la mémoire sur lesquelles se reposent les oiseaux migrateurs.

L'ayant laissé entrer dans sa demeure close, où elle ne voyageait qu'en rêve, elle s'était ouvert du même coup les portes d'univers insoupçonnés. Aïeule d'un continent de neige où déjà quelques couches d'Histoire avaient heurté sa vérité, fascinée par le troublant mystère de ce descendant rebelle fuyant le feu fou d'un désert d'Anatolie à la lisière d'Orient et d'Occident, elle s'était laissée tatouer par ses traces d'étrangeté, ses bribes de mémoires, son conte fantastique, hallucinant, conte d'une nuit de vie, d'un jour de terreur, d'une seconde infime d'extrême lucidité. Elle découvrit encore une fois que la douleur ne meurt jamais. Qu'elle vit centenaire et peut-être millénaire. Que l'oubli n'existe pas. Que seule une étreinte accueillant à la fois le même et l'autrui parvient miraculeusement à cautériser le mal vivant.

Plus tard, elle cherchera à lui dire que tout le fond de cet écrit lui fut donné par sa beauté. Lui qui sut déterrer ce qui, au fond blessé de son âme, s'était tapi sous le poids du silence. Mais il ne sera plus, et elle l'appellera. Elle le perpétuera en l'appelant, relatant son passage pour que son souvenir hante la nuit de ceux qui n'ont pas su discerner le vrai du faux.

Elle le perpétuera en l'appelant, en attendant que tourne la saison.

Elle s'appelle Madeleine.

Elle s'appelait Manitakawa dans un temps plus ancien. Celui de son enfance révolue par la grâce du temps qui passe. Heureusement qu'il passe, disent les sages. Malheureusement, gémissent les fous.

Manitakawa alias Madeleine depuis déjà longtemps. Quand elle avait encore la peau rouge et les cheveux si noirs qu'ils se fondaient avec la nuit. À cette époque, sa mère tenait une taverne pour nourrir la famille. En rentrant de l'école, elle déposait son cartable, enfilait un tablier et se mettait à laver les chopes de bières accumulées dans l'évier. Les rustres soûlards en quête de diversion l'interpellaient souvent, déformant son nom en riant. Wanawana... viens ici... Ninikaka... Takataka... Elle en pleurait de rage dans l'alcôve arrière, et ses larmes tombaient dans la mousse de savon et se perdaient dans les tuyaux.

À l'âge de douze ans, elle déclara tout haut qu'elle s'appelait Madeleine. Elle eut à peine le temps de dresser ce nouveau nom, qu'une voix plus grivoise que les autres la poursuivit dans l'alcôve arrière en bavant. Un voile recouvrait à présent la suite de cette scène. Mais c'est à ce moment que son visage se noua dans la laideur que peut inscrire la terreur sur un visage.

Madeleine avait été si violemment saisie qu'elle avala un son qui se coinça dans son larynx. Soudain sa voix devint rauque. Ses sourcils poussèrent furieusement. Le petit grain de beauté planté sous sa narine droite se durcit. Et son corps, lentement, se mit à s'épaissir comme s'il voulait à tout jamais devenir muraille, tour de garde ou donjon.

Madeleine eut l'impression qu'elle était devenue laide. Elle ne se regarda plus dans les miroirs. Et comme les hommes ne tirent de l'œil que du côté des belles et que les femmes se gardent bien de fixer la laideur de peur qu'elle ne déteigne sur elles, Madeleine se trouva isolée du monde comme tous les rebelles de l'humanité.

De longues années avaient passé.

Depuis, sa peau avait drôlement pâli et

son chignon noir s'était mêlé de fils d'argent. Elle vivait à présent au cœur d'une grande ville, côtoyant les gens, silencieux à son égard, se noyant dans le bruit des sept machines de la buanderie qui l'employait au quatrième sous-sol de ce grand hôpital sur l'avenue des Cèdres Blancs. Vêtue d'un large sarrau, elle s'affairait invariablement de sept-à-trois, étonnamment légère quand elle bougeait, étonnamment stable aussi, le sarrau blanc lui donnant l'allure d'un banc de neige bien établi entre les murs verts délavés.

Robuste et secrète, Madeleine exerçait un métier rare pour une femme. Elle était buandière. Dans les buanderies, les femmes sont d'habitude affectées au triage, au séchoir, à la calandre, au comptage ou à l'autoclave. C'est toujours un homme qui assume le travail de buandier. Fixer les gros sacs à la bouche de la machine et engouffrer cinq cents livres de linge à la fois exige une force musculaire particulière. Madeleine, qui avait d'abord été «préposée à la calandre», remplaça un jour, à main levée, le buandier qui venait de se tordre le dos sous le poids d'un sac de linge. Comme il ne put jamais revenir, elle garda cet emploi qui semblait la satisfaire profondément et qu'elle accomplissait avec une grande dextérité.

Dans la vapeur ambiante et l'odeur de javel, Madeleine travaillait dans une bonne humeur silencieuse. Elle ne parlait presque jamais. Répondait simplement quand on la questionnait. Dirigeait son regard là où il fallait pour accomplir la besogne mais jamais vers les autres. Elle travaillait dans une bonne humeur qui transpirait à travers ses gestes, son mouvement, et que personne ne pouvait ignorer.

Si quelqu'un lui avait demandé pourquoi elle était tellement à l'aise dans ce lieu, elle aurait répondu que le bruit du séchoir, de l'essoreuse, de la calandre, ressemblant au bruit des trains qui entrent en gare, lui donnait l'illusion perpétuelle de rentrer de voyage. Évidemment, personne ne lui posait ce genre de question, le temps du travail étant consacré à gagner l'argent nécessaire à la vie, et celui qu'on essaie de garder en vue de la grande évasion.

Ainsi, depuis quelques longues années, selon l'heure du jour, Madeleine engouffrait les draps contenus dans les sacs blancs qu'on appelait «des guenilles», le linge contaminé contenu dans les sacs rouges qui voulaient dire «danger» et celui qu'on stérilisait dans les sacs verts pour le bloc opératoire. Elle effectuait d'abord le prérinçage à l'alcali, les deux savonnages au détergent puissant et dosait avec soin la poudre de finition.

Elle vivait ainsi Madeleine.

Jusqu'à ce dimanche de novembre.

Sortant de Notre-Dame-de-Bon-Secours où elle venait d'allumer un cierge par habitude, elle alla prendre l'air sous la pluie mêlée de feuilles sèches, le long des quais. Si quelqu'un lui avait demandé pourquoi elle se promène tous les dimanches au port de Montréal, elle aurait répondu que les bateaux amarrés, flottant sur l'eau, lui donnaient l'impression d'être toujours sur le point de lever l'ancre, d'être en partance pour tous les ports qui bordent les terres. Mais aucun passant ne le lui demandait, puisque par définition le passant passe, comme le temps, sans s'arrêter sur le sort des humains.

Or ce dimanche de novembre, dans la pluie qui battait la terre et l'eau, elle aperçut un jeune homme à l'aspect désuet, couvert de suie, trempé de pluie, apeuré, égaré, sorti du fleuve sans doute ou de la cale d'un bateau, sans papiers, sans bagages, sans mémoire et sans nom, le teint verdâtre, vêtu d'un habit brun froissé et d'un ciré délavé comme sa peau, chaussé de sandales à lanières d'où dépassaient des orteils couverts de cloques et de gerçures. Ce jour-là, s'élargit pour la première fois le cercle d'amis de Madeleine. Elle le ramena chez elle, pas loin de l'hôpital sur l'avenue des Cèdres Blancs, dans un de ces «deux pièces» sombres à souhait où l'on peut se cacher, où peuvent vivre à l'abri les sans-papiers du monde. Généreuse à l'excès, elle lui avait offert la pièce fermée, déménageant ses deux robes et ses trois sarraus blancs dans le salon-séjour-cuisine. Elle avait préparé de la soupe aux pois verts et avait fait cuire le rôti de porc frais qu'elle gardait en prévision du dîner de Noël. Un peu plus tard, quand le froid gela très fort, le jeune homme s'était volontairement assoupi dans le lit de Madeleine pour qu'elle l'inonde de sa chaleur. Beaucoup plus tard, quand il fut sorti de l'ahurissement et qu'il parvint enfin à rassembler les sons, il avait murmuré quelques mots si savoureux que Madeleine les reçut comme une coulée de miel.

En apparence rien ne changea vraiment dans la vie de Madeleine. Mais dans sa tête, et déjà pas très loin de ses lèvres, une phrase avait germé. À la buanderie, quand les Trois Clara qui piaillent toute la journée évoquèrent encore une fois leur misère, leur solitude et leur ennui, elle lança à bout de souffle ou crut s'entendre dire: «Allez vous promener du côté du port, il y a des cadeaux qui traînent sur les quais.»

Le ciel est bleu-noir à l'aube de cet hiver. Le vent oblique achemine vers la terre des brindilles de neige. Un jeune homme à l'aspect désuet est assis dans une chambre sombre, devant la table de bois brut où l'abat-jour diffuse une tache jaunâtre sur un papier bon marché. Madeleine s'est glissée subtilement dans la pénombre, posa une tasse de café noir fumant sur le coin de la table puis se retira comme s'esquivent les chats. Sans dire un mot.

Depuis quelques jours, elle pressent que le jeune homme est sur le point d'ouvrir les trappes de sa mémoire. Au cours de la nuit, des mots incompréhensibles s'évadent de sa chambre et rejoignent Madeleine blottie dans le sofa. Troublantes énigmes qui lui font dresser l'oreille, une oreille attentive dans l'espoir qu'il parvienne enfin à dévoiler son identité. À l'aube de ce jour, sentant le moment d'une extrême fragilité, elle ne lui adressa aucune parole et se garda bien de l'interpeller de quelque nom que ce soit. Une plume trempée dans l'encrier et un papier couvert de signes lui donnaient les indices d'une éclosion en cours, de quelque climat d'ailleurs se faufilant dans sa maison.

Ce matin, en attendant l'autobus qui la menait à son travail, Madeleine eut moins froid que d'habitude. Elle ne sentit pas le vent raidir son front et ses mollets, absorbée encore par l'atmosphère de cette chambre où le visage du jeune homme assis devant la table de bois brut, le lit nonchalamment défait, la couverture de laine rouge traînant sur le plancher de bois foncé, la carpette et le fauteuil, les photos fixées au mur et le cactus posé sur le rebord de la fenêtre s'étaient soudain transformés par un indéfinissable halo qui semblait aussi l'avoir enrobée, ce matin, d'une fine pellicule de chaleur.

Durant tout le trajet, elle se plut à imaginer la main tremblante du jeune homme saisissant la plume, une main froide et brûlante à la fois, lisse et rugueuse, la pressant maladroitement jusqu'à l'étouffer puis soudain la caressant doucement, nerveusement, fébrilement, et à nouveau la pressant comme s'il voulait induire dans son corps un fluide tragique qu'elle ne soupçonnait pas, extraire de sa bouche des sons qu'elle ne connaissait pas, imposer à ses yeux d'étranges images dont elle n'avait jamais décodé les contours, quelque vision qui avait envahi sa mémoire et qui s'y débattait furieusement. Elle parvint même jusqu'à sentir la veine de son poignet gonflée par les battements de son sang.

Il faisait chaud dans l'autobus, Madeleine transpirait sous son chapeau de laine. Elle descendit à l'arrêt des Cèdres Blancs, attrapa d'un coup le vent glacial et la réalité de ce jour qui commençait.

Ce n'est pas moi qui parle c'est ma douleur. Mon impuissance, mon silence, ma langue devenue soudain analphabète lors du transfert dans l'espace où le destin m'a réfugié. Ce n'est pas moi qui parle de l'homme que je vois surgir dans les jumelles cosmiques ramenant le lointain. C'est lui qui perce ma mémoire pour revivre dans mon exil. Pour me torturer encore à travers océans. Je suis si faible devant ce conteur inguérissable, qui invente tout, qui n'invente rien, qui transporte la beauté la plus vive et la plus atroce laideur d'un bout à l'autre de ses errances.

À l'aube de ce jour j'ai pitié de son fardeau qui pèse sur mon cœur. Ce fardeau où s'agite un Hagard, l'innommable, l'insupportable, qui le hante, qui me hante et qui nous a poussés à entrer dans la mer. L'innommable, l'insupportable, celui qui a saisi les plus infimes nuances de l'intolérable et qui les brandit en-

core dans nos mémoires comme des drapeaux de feu.

Ainsi, dans la nuit qui précède l'aube de ce jour, émerge dans la pitié de mon cœur l'homme que je vois. Dans son hallucinante vérité. Dans le détail étrange de son hallucinante vérité. Le libérer à présent dans la crainte et le doute, le décrire sans distorsion, dans le tracé écorché de son passage noyé par la fuite des jours. Le libérer innocemment, innocemment, dans la violente innocence d'une naissance, le laisser re-commencer comme si jamais encore il n'avait eu lieu, pour que sa misère ait valu la peine d'être vécue.

Simplement pour cela, je prends le risque en cette aube de nommer l'anonyme, de détourner à nouveau le cours de mon histoire, de me perdre à jamais dans la mêlée des souvenirs épinglés sous ma peau.

Je dois le raconter avant qu'il ne me raconte, il est tellement plus fort que moi, plus séduisant. Le saisir avant qu'il ne me saisisse, comme une fable qui peut-être n'a pas eu lieu, et me sauver de lui, de lui, de cet homme sans âge, qui ressemble à un homme d'âge tendre, à cause de ses cheveux bouclés comme des cocons de nuit, et de sa lèvre retroussée découvrant deux incisives blanches, si blanches qu'elles se détachent sous le moindre rayon de lumière, deux perles naturelles dirait-on, deux larmes de crocodiles, deux petits crocs de lionceau naissant. Sur son front ridé le ciel se réverbère car le soleil qui plombe en ce moment le fait reluire de sueur. Ses yeux, graves, comme les yeux des chameaux sont souvent plissés pour se protéger du sable. Il a le grain de peau tanné, le corps fluet, l'épaule rude et carrée et le mollet galbé comme une baguette de roseau. Le jeune homme que je cerne a l'allure angulaire, ce qui lui permettra sans doute de s'ancrer sous toutes directions dans le sable friable d'une plage désertique, dès que je l'aurai vraiment saisi car c'est un fabuleux conteur, être fuyant, brillant comme des diamants concaves qui fascinent, obnubilent, aveuglent de leurs millions de feux celui qui tente de les saisir.

Un conteur fabuleux. C'est sa fonction. Depuis hier ou depuis toujours. Un conteur sans lois préfigurées. Sans autre foi que celle qui surgit avec fougue quand le flot du mot crève son cœur pour jaillir dans le désert, et que, soudain, les astres les plus inaccessibles et les grains de sable les plus invisibles vibrent aussi de cette croyance. D'ailleurs, à ce moment précis, tout ce qui passe dans l'aire du conte retient dans sa chair mémoriale le hâle d'une intangible cérémonie belle et cruelle, même si, une fois le conte achevé, le conteur tente lui-même de ne plus y croire, de fuir les retombées de son récit pour survivre à l'écho des images.

Cet homme est un Conteur c'est-à-dire un homme qui a peur de mourir avant d'avoir conté. Un homme écervelé qui va prendre en toute conscience le risque de mourir pourvu qu'il parvienne à conter. Comme si ce pouvoir extirpait l'impuissance qu'il traîne au flanc et qui le fige depuis longtemps sur cette dune dans un désert d'où l'on ne voit pas la mer. S'il arrive à éclaircir sa voix il soufflera des images colorées. Ses cordes vocales acrobatiques insuffleront alors la mouvance aux images et le conte vivra, dans sa chronologie anarchique, sa ponctuation déréglée et surtout, surtout, l'espace de ces silences hâbleurs, là où ne cessent de frémir de genèse en genèse les vérités humaines, à travers le surprenant écho de l'invraisemblable.

Je viens de l'entendre murmurer deux mots: j'ai peur. J'ai peur, dit le conteur. J'ai peur à en perdre mes incisives blanches, à en devenir chauve, à en déformer les angles de mon corps. J'ai peur à m'en fracasser les canaux des oreilles, à n'en plus fermer les yeux sous le soleil qui brûle le sable, à me laisser calciner sur cette dune loin de la mer. J'ai peur que ma voix ne me perde, peur de me perdre dans ma voix, peur de me tromper de ton, peur de mentir, peur de trahir, peur qu'on m'entende ou qu'on ne m'entende plus, peur que l'on aperçoive l'envers de mes paupières, peur de la mer reflétée dans mes yeux, peur que mes yeux ne blessent la mer. J'ai peur de ne plus délirer, peur d'enterrer les sons dans ma cage thoracique, peur qu'ils ne volent comme des mouettes égarées. J'ai peur de l'autre, le Hagard qui est venu gîter tout près du figuier nain, j'ai peur que mon âge mûr ne pourrisse déjà , peur que mes cordes vocales ne sèchent, j'ai peur de l'autre, le Hagard, le plus fou des fous du village désertique, qui habite tout près de la racine du figuier nain, j'ai peur que le bruit de la mer ne m'atteigne plus, peur qu'il ne cesse plus jamais de hanter mes tympans, j'ai peur de l'autre, le Hagard, qui habite désormais le fond du conte depuis qu'il s'est glissé sous la peau du figuier nain, j'ai peur que mes pieds ne se moulent dans le sable et que je n'arrive plus jusqu'à la mer... laisse-moi...

laisse... je m'en vais vers la grève... Ne regarde pas la trace de mes pas sur le sable brûlant... ne regarde pas les grains de sable collés sous la plante de mes pieds... ne regarde pas mes épaules qui battent le vent léger comme des éventails de paille... ne regarde pas les rayons du soleil qui se réverbèrent sur mon front, ils t'aveugleront... ne regarde pas mes bras qui tournent comme des hélices lentes... je vais dans la lenteur de ma peur... je vais boire un peu d'eau salée pour adoucir les cordes de ma voix...

Avenue des Cèdres Blancs. Le «deux pièces» a des murs quelque peu inégaux. Le temps a détendu le cadre des portes brunes. Elles ne sont plus jamais totalement fermées.

En rentrant de son travail, Madeleine avait discrètement vaqué à ses occupations sans déranger le jeune homme, puis elle s'était couchée à la même heure que d'habitude. Au bout de la nuit, elle avait cru entendre par la fente de la porte deux mots qui ressemblaient à: j'ai peur. Elle avait attendu qu'ils finissent de résonner sur les murs de la chambre puis elle était entrée, inquiète et timide comme un chat lent, une tasse de café à la main. Le jeune homme, béatement calé dans le creux du fauteuil, avait les yeux fermés. Le jour pointait. Elle éteignit la lampe basse, traîna la couverture rouge et le couvrit. Puis, elle écarta légèrement le rideau de jute et entrebâilla le battant de la fenêtre afin que la lumière du jour et l'air de ce matin s'infiltrent dans la chambre. En sortant, elle aperçut la plume trempée dans l'encrier. Son œil s'éclaira alors d'une étrange et très indéfinissable lueur. Elle savoura l'idée que bientôt elle serait en mesure d'en savoir davantage sur le jeune homme, pressentant que l'isolement dans lequel elle vivait s'était à tout jamais rompu ce dimanche de novembre. Déjà le souvenir des heures passées avec lui, même dans le silence, lui donnait un bien-être nouveau, une curiosité attentive aux moindres lueurs qu'elle pouvait percevoir, le sentiment d'être sur le point d'accomplir un exaltant voyage vers l'inconnu. Tout cela aiguisait son attente et faisait céder sa douloureuse réticence face au monde qui l'entoure. Elle découvrait aussi combien elle était prête à suspendre sa propre voix pour laisser fleurir un conte étrange qui semblait vouloir se mêler à son ombre.

Ce matin la vit donc sortir de la maison dans une fébrilité joyeuse mais adroitement contenue. À part quelques mèches rebelles qu'elle ne parvenait pas à dompter sous son chapeau de laine, rien dans son attitude ne trahit son état. Elle travailla calmement, soigneusement, rivée à la machine à laver jusqu'à la fin du jour. Et ce qu'elle semblait entendre à travers le ronron de la grosse machine, personne au monde ne pouvait, non, personne, personne ne pouvait le capter.

Arrière le Hagard.
Cesse de gémir je n'entends rien.
Le soleil ne laissera pas ton ombre planer sur la voix de la mer. Distordre sa tonalité. Ni changer les graves en aiguës ni les aigus en graves. Je suis à présent très loin de toi et je ne vais parler que de la mer. Que de la plage. Que de la plage de sable recouverte de figuiers.

Une plage de sable, recouverte de figuiers d'un vert désertique comme si un voile gris pâle sur leurs feuilles plates avait soufflé. Ils sont parsemés dans le sable beige, quelques-uns portent des figues, d'autres pas. À perte de vue, le désert beige, et quelques cailloux semés. Aussi la mer. Fil d'horizon bleu sombre et tendre, elle longe le lieu comme un long drap liquide que les poignets du vent étirent et balancent depuis l'éternité.

Sur cette plage face à la mer, il y a des figuiers d'un vert désertique, retenez la couleur car les yeux humains ne la rencontrent que là, sur ces figuiers qui jaillissent un jour entre le sable et le ciel. Un vert désertique, retenez la couleur, retenez-la. C'est celle de l'imaginaire au pic de sa fertilité. Celle des cendres du souvenir d'un fruit. L'Aura d'une éclipse lunaire un soir de chaleur en juillet. La couleur d'une pince de crabe mutilé sur la grève. C'est aussi le troisième vert de la mer, troisième profondeur, là où le gisement d'algues est riche... C'était aussi la couleur des yeux de Mariam Nour.

C'était aussi la couleur des yeux de Mariam Nour avant.
Quand elle parlait. Avant qu'elle ne devienne ligne mélodique, verset carillonnant dans les voûtes du désert.

Je parle à mi-voix pour ne pas effaroucher la voix de Mariam Nour quand elle surgira, car elle surgira de la mer. Elle surgira dans le frottement de la vague sur la peau de la grève, dans le glissement d'un rayon sur le dos d'un coquillage humide, dans le balayage de la lune sur les cils de la nuit, dans l'avance du crépuscule sur le lit de l'horizon.

Je parle à mi-voix pour ne pas réveiller le Hagard qui s'est plissé sous la feuille du figuier nain. Pour qu'il ne vienne pas m'interrompre. Il ne faut pas que le Hagard puisse m'interrompre quand surgira la voix de Mariam Nour, car la voix de Mariam Nour quand elle surgit ressuscite les morts des plus anciens combats. Me voilà à peine entré dans l'aire du conte, me voilà déjà saisi par cette voix, la voix de Mariam Nour. Elle coule comme le miel des figues barbares dont la douceur ulcère le palais quand elle parle de ceux qui ont passé sur cette tranche de plage. Ils étaient vêtus de vert, montés sur des dinosaures verts. Ils venaient des vallées fertiles, pleins de fougue et d'audace, camper dans le désert. Il n'y a pas si longtemps, dit-elle, le dernier, après avoir arraché sa tresse, s'est engouffré. La mer les avale et ils deviennent des algues. Le vert de la mer en devient plus voilé. Avec les âges ils s'infiltrent sous la terre. Et la terre les transforme en métaux vert-de-gris, comme les morts.

Je disais qu'il y a un ton de vert comme il y a un ton de voix pour aimer ou pour blesser. La vie se tisse et se défait selon le ton des choses. Tant qu'il n'en tient qu'à moi, je raconterai à mi-voix. Pourvu que ma mémoire voyageuse se maintienne dans la bonne tonalité.

Je disais donc que Mariam Nour est une fille beige voilée de vert tendre. Une fille accrochée aux cordes sensibles d'un ciel que les dieux, fatigués de lutter contre la cruauté humaine, ont déserté. Elle est de l'âge mûr qui ne pourrit jamais. L'âge d'après la douleur. Elle a l'âge du bruit de la mer qui déroute les rapaces quand ils s'abattent périodiquement sur le désert, déracinant les cactus millénaires et mutilant les figuiers, à cause de leur couleur. Du ton. Du ton de vert. Elle est de l'âge qui sait combien le vert des déserts reste une énigme à celui des forêts. Elle sait. Elle sait qu'on ne change pas impunément le plan de la nature et ses climats.

Sur cette plage il n'y a pas d'arbres. Il n'y a que des figuiers verts voilés de gris. Retenez la couleur.

Très tôt ce matin, Madeleine s'est levée transie de sueur et pourtant il faisait froid dans la maison. Dehors, le vent secouait les fenêtres et faisait frissonner la longue ligne humaine qui, déjà dans la rue, attendait l'autobus.

Au cours de la nuit, Madeleine avait été littéralement transportée dans la taverne de son enfance. Le décor avait ressurgi avec une ahurissante précision. Les murs peints de scènes de vendanges grossières, les deux miroirs dont l'humidité avait rongé le tain, les tables de bois massives au vernis inégal, les chaises tressées de paille brute, le carrelage beige chiné de gris, les candélabres de plâtre plaqués au mur laissant dégouliner une lumière orange, le comptoir de marbre blanc dans le fond de la pièce, les étagères remplies de chopes de bière et, surtout, l'alcôve arrière du comptoir, là où était dissimulé derrière un rideau de boules multicolores, le tonneau d'où l'on tirait la bière et le grand évier où on lavait les verres.

Tout avait ressurgi.

Et Madeleine au milieu de sa nuit avait à nouveau ressenti bien des choses, d'horribles choses. D'abord une odeur. Cette odeur angoissante de bière fermentée, mêlée à celle du vomi, au parfum bon marché, à l'épiderme de sa mère. Ensuite une empreinte. L'empreinte de cette main gluante sur sa fesse gauche, là où, depuis longtemps, un inguérissable eczéma forme une plaque qui rougit de temps à autre. Ce n'était pas un rêve. Enfin, sans doute, une sorte de rêve de la mémoire, de ceux qui vous ramènent les atmosphères intactes, dans leur beauté ou leur terreur. Au cours de sa nuit, Madeleine avait à nouveau éprouvé les multiples sensations qui guerroyaient en elle à cette époque et qu'elle avait, à force de lutte, réussi à recouvrir d'un lourd rideau de jute. Mais ce qui la bouleversa le plus, ce qui, plus que tout, la secoua, fut le visage qu'elle aperçut, comme projeté sur l'écran d'un film d'horreur, ce visage dont elle n'avait aucune mémoire, son visage d'enfant terrifiée.

Dressée sur son divan-lit, elle en tremblait encore, les avant-bras inertes, les yeux baissés. Elle demeura ainsi jusqu'à ce que l'aube de ce jour eût avancé dans la maison par la lucarne de la cuisine. Elle se leva alors, plia lentement ses draps, referma le divan, entra dans la salle de bains, ouvrit la pharmacie de bois plaquée au mur et sortit le pot de grès contenant la préparation homéopathique. Elle y plongea les doigts et étala l'onguent vert sur l'eczéma. Puis elle alla dans la cuisine et prépara le café. Elle s'habilla sur la pointe des pieds car la chambre du jeune homme était encore fermée. Avant de sortir, elle colla discrètement son oreille sur la porte de la chambre, entendit un bruit léger, peut-être celui d'un papier que l'on froisse, et, comme si ce bruit avait eu la valeur d'un code dans un alphabet connu d'elle seulement, elle comprit que le jeune homme était vivant, réel. À cet instant, une gigantesque tendresse monta en elle. Elle sortit heureuse. Il était six heures du matin. Elle fit la queue à l'arrêt de l'autobus, dans cette rue qui grouillait depuis l'aube, et, très vite, elle parvint à oublier jusqu'à l'indifférence du monde.

Alors, je disais que la vie de Mariam Nour s'est jouée en trois refrains. D'abord elle fut déflorée, ensuite elle accoucha et enfin elle mourut. Mais j'entends les ombres qui me contredisent. Mariam Nour ne mourut pas, disent les ombres. Puisque sa voix continue à hanter les tympans de tous les soleils quand ils brûlent les humains au lieu de les réchauffer et à aplanir les ailes des quatre vents quand ils saccagent au lieu de rafraîchir. Puisque sa voix, quand elle surgit, coule comme la résine odorante de l'arbre à encens et asphyxie les intolérants. La voix de Mariam Nour ressuscite les martyrs et asphyxie les tyrans quand elle parle de ceux qui ont passé sur cette tranche de plage. Elle dit qu'ils étaient vêtus de vert dévoilé. Les derniers, après qu'ils eurent déchiqueté la peau de sa robe se sont engouffrés. La mer mielleuse les attire comme des bourdons. Ils deviennent des poissons-mouches dans le fond de la mer. Des poissons-mouches qui bavent.

Elle dit qu'elle a ramassé l'écume de ces vagues dans la mêlée de ses cheveux, sous ses aisselles et dans les plis les plus invisibles de son corps.

Alors,
les Ombres affirment que Mariam Nour ne mourut pas. Qu'elle se cacha tout au fond de la mer et attendit que le Monde fût passé. L'Halluciné dit qu'on l'entend parmi les vagues. La Lune se voile et dit n'avoir rien vu. Elle passa mille nuits dans le fond de la mer, dit l'Orient septentrional. L'Occident ne commente pas.

Ainsi naissent les contes.

Sur cette plage il n'y a pas d'arbres, il n'y a que des figuiers, et le sable est blanc-sable, et les figuiers sont verts voilés de gris, retenez la couleur.

À la buanderie, la journée avait été semblable aux autres journées de la semaine. Madeleine avait, tout au long du jour, fixé les lourds ballots de linge à la bouche de l'«ogresse». C'est ainsi qu'on avait surnommé la machine à laver. Le jeune Asiatique qu'on venait d'engager comme «gars de chute» et qui transportait le linge souillé jusqu'à la buanderie avait dit à Madeleine, le regard admiratif, voulant sans doute parler de la machine à laver: «Vous êtes très grosse pour tout le linge». Les Trois Clara qui maniaient la calandre, et quelques autres femmes autour, éclatèrent de rire. Madeleine eut pour lui un tendre et mystérieux sourire complice. Le jeune Asiatique avait timidement baissé les yeux. Un sourire neutre se traça sur son visage. Un sourire hypocrite, si l'on écoute les commentaires des Trois Clara, dès qu'il tourne le dos. Ce qui ne veut aucunement sous-entendre qu'elles soient plus aimables quand elles croisent son visage.

La ligue des Trois Clara était implantée dans la buanderie depuis quelques décennies. Elles s'étaient regroupées avec le temps, presque naturellement, par affinité de couleur. Elles avaient toutes les trois les cheveux roux. De plus, elles avaient curieusement les mêmes initiales. Leurs noms se suivaient sur la fiche de paye la plus ancienne de l'établissement.

LÉGARÉ Clairette, LINDSAY Clarence, LEIBOVITCH Clara. Fortes de leurs similitudes et de leur ancienneté désormais irréfutable, elles s'octroyaient le droit de dévisager tout nouveau venu, de le scruter, de commenter ses comportements, de pointer du doigt sa différence, d'épier ses misères, de salir sa beauté si elle les poussait dans l'ombre, d'amoindrir ses qualités quand elles menaçaient de mettre à jour leurs lacunes, enfin, de bâtir sa réputation. De ce jeune Asiatique, Clairette Légaré avait déjà affirmé qu'il sentait l'«egg roll», Clarence Lindsay avait décrété qu'elle n'aimait pas les Asiatiques et Clara Leibovitch, après qu'elle eut un peu hésité comme d'habitude, avait fini par renchérir en déclarant qu'il parlait mal et qu'elle ne comprenait rien de ce qu'il disait.

Envers Madeleine, les Trois Clara manifestaient à la fois un respect ambigu et une réserve certaine. Madeleine était là bien avant elles, bien installée à la buanderie. Elle avait assisté à leur intégration. À l'époque, elle n'était qu'une toute jeune fille, naïve et innocente, alors qu'elles étaient arrivées là, adultes et déjà pleines de malice. À l'époque, Madeleine avait les cheveux très noirs, la peau très rouge et le corps bien bâti. Elle était préposée à la calandre qu'elle maniait cependant avec quelque maladresse. Elle dut céder sa place sous la pression de la nouvelle venue qui maniait cette machine avec souplesse et rapidité. Elle fut affectée au triage du linge et puis à diverses besognes tout au long des années. Jusqu'au jour où elle devint buandière.

Les Trois Clara sont mal à l'aise devant Madeleine. C'est le moins que l'on puisse dire. D'un malaise qu'elles ne parviennent pas très bien à identifier. Même si de longs fils blancs sillonnent aujourd'hui son chignon noir et qu'elle semble avoir perdu la fougue de la jeunesse, il y a quelque chose dans son regard qui les effraie. Pourtant, toute la douceur du monde est diluée dans ce regard.

Donc, à la buanderie, la journée avait été semblable aux autres journées.

Personne ne se rend compte évidemment que Madeleine traîne encore depuis l'autre jour des effluves de ce cauchemar qui l'épouvanta dans sa nuit. Elle-même oublie dans le travail cet eczéma irrité qui l'oblige dans un geste inconscient à transférer constamment son poids d'une fesse à l'autre pour trouver le confort.

Avant de rentrer, elle fera un tour chez l'homéopathe afin de renouveler sa provision d'onguent.

Alors,
je disais que dans ce désert il n'y avait encore aucune villa. Ni celle du Sage ni celle du Blanc ni même des huttes de paille. Seuls les figuiers hivernaient et estivaient sous le soleil du jour et la lune de la nuit qui veillaient sur leurs amours. Bien sûr il y avait les oasis. Et les mirages.

Mariam Nour dit qu'en l'An de sa défloration, les femelles qui gîtaient au plein creux du désert ne psalmodièrent plus de joie mais de terreur, se roulant dans le noir de leurs voiles. Car deux guerriers verts s'étant abattus sur elle l'avaient jetée sous un figuier touffu. Une étoile filante qui en cette nuit était de garde ne garda rien. Une goutte de rubis mêlée au sable beige forma un caillou rose. La brise se tut sur le désert.

Parmi les cailloux qui meublent le désert, il y a un caillou rose. Il traîne parmi les figuiers. Personne ne le remarque, c'est étrange. Les insectes le transportent quelquefois d'un figuier à l'autre, sans préjugés.

Ainsi débutent les contes désertiques.

J'entends les chamelles hululer à quelques pas.
Hululez, hululez chamelles.
Servez de choral épiphanique à la marche sainte de mon conte. Car le plus fou des fous du village désertique dit entendre la voix de Mariam Nour la nuit.

Alors,
je disais que... que le plus fou des fous du village désertique dit entendre la voix de Mariam Nour la nuit. On le bat, on lui crache au visage, on le cravache et on le pousse dans la carrière de pierre. C'est bien fait pour lui. Alors... alors il ne dit plus... mais quelquefois alors, de sa voix macabre, éraillée comme du verre brisé, il se met à chanter...
Il se met à chanter à fendre l'âme... à écorner les bœufs... à ressusciter tous les Iblis de l'univers... il se met à chanter... il se met à chanter... il chante...

Va-t'en le Hagard...
Va-t'en...

Alors,
je disais que jadis le Grand Sage habitait une tente de bure dans le très creux désert. Quand il entendit rouler le caillou rose vers la mer, ses oreilles hurlèrent et ses yeux dispensèrent des rivières d'eau salée que le soleil sécha. Le désert a gardé ces résidus de larmes comme des joyaux d'humanité. Et puis soudain l'homme se mit à vieillir. Tant et tant, que sa longue barbe se mêle et se confond avec les grains de sable quand il s'avance une fois par jour au coucher du soleil pour prier devant la mer.

Depuis, tous les autres habitants étaient entrés dans le silence. Mais lui, il était sorti du ventre du désert pour bâtir cette villa. Un temple éternel à la mémoire d'un inaudible cri. Il bâtit une villa de pierres beiges, avec des fenêtres beiges, dans le sable beige, face à la mer. Pendant des ans, le Hagard achemina des pierres volées à sa carrière d'exil, la nuit, sous l'égide cacophonique du bruit des vagues qui couvrit la rumeur. Personne ne l'a surpris.

On ne l'a pas surpris car il porte sur lui une mèche de la robe échevelée de Mariam Nour. Un talisman qu'elle lui donna, non, qu'il lui vola un jour de faim, un soir de faim quand il mordit dans le bas de sa robe qui traînait dans le sable. C'était avant. Quand Mariam Nour avait des yeux verts et une longue robe voilée. C'était avant qu'elle ne devienne figuier de plage sur le sable. C'était avant. Avant qu'elle ne devienne figuier de sable sur la mer. C'était avant.
Ainsi voyagent les contes.

Trois heures quinze, Madeleine s'engouffre dans l'autobus bondé, pliant sous le poids de ses deux sacs remplis de fruits et de légumes frais, achetés au fermier ambulant qui tient charrette une fois par mois à la sortie nord de l'hôpital. Un vieil homme aux cheveux blancs se lève pour lui céder gentiment sa place. Saisie par ce geste inattendu, Madeleine refuse timidement et garde les yeux baissés sur ses paquets. Son regard tombe soudain sur les bottes du vieil homme. Des bottes en cuir de caribou doublées de loutre et piquées à la main comme on les faisait jadis chez elle. Madeleine sourit à ces bottes qui lui ramènent cette image de si loin. Puis l'autobus freine brusquement pour éviter de heurter un piéton distrait, et brusquement Madeleine relève la tête. Elle rencontre le visage du vieil homme et ses yeux aussitôt se remplissent de larmes. C'est le visage de son grand-père. Mais son grand-père est mort depuis bien longtemps.

De quoi se souvient Madeleine subitement! De la dernière image qu'elle garde de son grand-père. Un homme grand, si grand qu'on le prenait pour un géant, versant quelques larmes de rage devant un totem calciné. À l'époque, on parlait vaguement autour d'elle de territoire usurpé.

Elle était triste en quittant l'autobus, mais, en tournant le coin de la rue, un vent embusqué souffla vite et fort sur ce fragment de souvenir.

Il était quatre heures quand elle rentra chez elle, il faisait chaud dans la maison, la porte de la chambre était ouverte, elle entra sans frapper. Le jeune homme était étendu sur son lit, les yeux grands ouverts, fixés au plafond. Il était vêtu d'une chemise très blanche, puisque c'était Madeleine qui l'avait lavée. Il avait retroussé ses manches et déboutonné sa chemise. Son buste brun ressemblait à un tronc d'acajou luisant sous la lumière de quelque lune de juillet.

Un monticule de feuilles froissées trônait au milieu de la chambre. La fenêtre grande ouverte laissait partir la chaleur du poêle à combustion. Madeleine s'empressa de fermer la fenêtre pour garder la chaleur. Elle regarda le jeune homme du coin de l'œil puis s'inquiéta à haute voix du cactus qui semblait avoir besoin d'être arrosé. À cet instant, le jeune homme s'aperçut de sa présence et se leva d'un bond, lui souriant comme les enfants sourient au sapin de Noël. Elle s'assit sur le bord de son lit. Désignant l'amoncellement de papiers sur le plancher, il lui dit: «Pour le poêle à combustion». Madeleine éclata de rire, et son rire secoua le décor de la chambre. Le jeune homme se mit à rire aussi et Madeleine, éblouie, remarqua qu'il avait deux incisives blanches, qui ressemblaient à deux perles naturelles, à deux petits crocs de lionceau naissant. Il boutonna sa chemise et entreprit de secouer ses oreillers et de tirer minutieusement les draps de son lit pendant que Madeleine entassait dans un grand sac de plastique vert les papiers froissés.

Elle attacha soigneusement le sac, sortit mystérieusement de la chambre et alla le cacher dans le placard de la dépense, là où elle emmagasinait les provisions qu'elle achetait, au cours des ventes-surprises, chez les Quatre Frères de la rue Saint-Laurent.

Elle alluma le poêle pour réchauffer le dîner qu'elle venait de sortir du réfrigérateur. Des fèves brunes qui avaient mijoté toute la nuit dans la mélasse et les cubes de lard. Un repas que le jeune homme avait appris à aimer. Il dressa la table comme Madeleine le lui avait appris. La nappe brune en tissu infroissable, le couteau à droite, la fourchette à gauche, la serviette de papier au centre de l'assiette. Il sortit le pain tranché du réfrigérateur, le pot de ketchup vert, le pot de moutarde douce et le beurre frais, la grosse bouteille de Coca-Cola. Il lorgna le pot de beurre d'arachides mais n'osa pas le sortir. Il se versa un grand verre de coca-cola pendant que Madeleine amenait sur la table le pot de grès fumant.

Elle le servit.

Ils mangèrent en silence.

Dans un silence souriant.

Dans un silence quiet. Reposant. Dans un de ces silences qui habillent nos gestes les plus anodins, les plus banals, de la texture de l'amour.

Deux heures plus tard, quand le jeune homme eut regagné sa chambre, Madeleine éteignit sa lampe de chevet et guetta encore un moment dans le silence. Tout était calme autour, et elle se décida à fermer les paupières. Elle était essoufflée d'ailleurs, merveilleusement essoufflée, superbement grise, ivre, elle titubait de bonheur. Comme elle n'entendait plus que la respiration égale de la maison endormie, elle se glissa aussi dans ce sommeil délicieux qui suit les heures pleines quand elles ont explosé de toute leur richesse.

Dans la nuit, elle vogua en lieux étranges, pleins de mystérieux délices, tout en percevant aussi, dans sa chair aiguisée, les troublantes réalités qui bien souvent sous-tendent les moments de grandes béatitudes. Et elle dormit jusqu'au matin.

Ainsi voyagent les contes.

Sur cette plage il n'y a que des figuiers que berce le chant des grillons.
La mer divague.
Et le vent ne souffle mot ni son.
Il n'y a de nuages qu'errants, émigrants égarés cherchant leur chemin.
Il y a des bateaux qui clignotent la nuit sur la surface de la mer. Des bateaux-fantômes voguant sur la peau lisse de la nuit.
Même si le Hagard niche encore dans la racine du figuier nain.
Même si la voix de Mariam Nour perce et berce le vent.
Il n'y a que des nuages, sur cette plage, errant, et des bateaux, sur cette mer, naviguant dans la nuit.

À l'heure de la pause-déjeuner, la buanderie ressemble à une vaste cale de bateau, sans capitaine et sans mousse. Seuls les autoclaves continuent de ronronner, stérilisant le linge destiné au bloc opératoire.

À l'étage supérieur, soit au troisième soussol, il y a une cafétéria pour les employés de l'hôpital. Mais ceux de la buanderie préfèrent s'installer dans la salle de repos attenante ou sur les banquettes du couloir pour manger le contenu de leur boîte à lunch. Un sandwich aux œufs, une branche de céleri, une pomme. Quelquefois des restants du souper de la veille quand la famille n'a pas tout raflé. Madeleine a toujours dans sa boîte des restants de la veille car elle cuit de larges portions et sa «famille» mange peu. Le jeune Asiatique mange debout, appuyé contre la machine à café, une indéfinissable friture qu'il sort d'un cornet de papier brun. La ligue des Trois Clara ne manque pas de lui lancer un regard inquisiteur

avant qu'elles n'aillent s'asseoir sur la banquette «réservée». Malheur à qui ose s'y installer. C'est une loi de propriété tacite depuis toujours. Elles sortent de leurs paquets des victuailles colorées qu'elles se font goûter en bavardant.

Depuis quelque temps, Madeleine entend ce que disent les autres. Il lui arrive même, depuis quelque temps, d'écouter. Il lui arrive même, quelquefois, de tendre l'oreille. Ce midi, dans la conversation désordonnée des Trois Clara, elle a entendu à plusieurs reprises le mot «bateau». D'abord cela la fit sourire. Il y a longtemps que Madeleine n'a pas vu les bateaux. Depuis, exactement, un certain dimanche de novembre. Il faut dire qu'elle a moins de temps pour flâner le dimanche. Il faut dire aussi que, depuis, elle a moins envie de voyager. Que c'est l'hiver et que le fleuve est gelé. Quand les fleuves sont gelés, on reste immobile ou alors on voyage chez soi. Madeleine voyage chez elle depuis que le fleuve est gelé. Elle voyage d'une pièce à l'autre, découvrant tous les jours d'étranges paysages. Même à la buanderie, cet hiver, Madeleine voyage. Elle découvre tous les jours de nouveaux sons de voix, des gestes et des clins d'œil. Ce midi, la ligue des Trois Clara a parlé de bateaux. D'une croisière idyllique qu'elles projettent depuis

des lustres pour leur retraite bien méritée. Le jeune Asiatique a eu le mal de mer. Madeleine a soudain ressenti une vague inquiétude. Elle eut l'impression que le jeune homme était en désarroi. Depuis quelques semaines, il avait trouvé un emploi, tantôt de jour, tantôt de soir, selon les besoins de l'employeur. Lui serait-il arrivé quelque chose! Il ne parlait jamais de son emploi à Madeleine. Il disait toujours: «C'est bien, c'est bien.» Pour la première fois, elle eut envie de rentrer chez elle avant trois heures. Jamais Madeleine n'a quitté son travail avant trois heures. Ni quand son eczéma la martyrise, ni quand sa tête bat au point d'avoir les yeux exorbités, ni quand elle s'est foulé l'épaule, ni quand la pluie diluvienne a trempé sa maison, ni quand sa mère est morte.

Madeleine eut envie de rentrer chez elle, midi et demi sonnait, c'est dans la buanderie qu'elle entra. Elle reprit son travail assidûment, fixant calmement les sacs de linge à la machine, sauf que ses mains tremblaient un peu. Cinq minutes avant trois heures, elle se leva et sortit.

La densité de l'inquiétude avait poussé Madeleine, pour la première fois de sa vie, à voler cinq minutes sur son temps de travail.

Arrière le Hagard...
Cesse de pleurer, cesse de gémir...
Va déverser tes larmes ailleurs...
Je n'ai pas pitié de toi...
Personne n'aura pitié de toi ici...
Personne ne t'entend plus ici...
Nous sommes très loin... Très loin...
Cesse de me torturer, ne me tords pas le cœur
Fêve. Fêve. Fêve.
Misérable Fêve.
Te voilà me forçant déjà à crier ton nom dans l'espace de mon conte.
Toi, l'insupportable errant que je veux renier.
Misérable Fêve.

Alors, qu'est-ce que je disais déjà?
Je disais que le plus fou des fous du village désertique n'a de nom que celui que lui donnent les passants. Le plus souvent on le nomme Fêve. Parce qu'il a la tête brune et le front rouge de fièvre. Ses yeux tournent au vert

quand il entend la voix de Mariam Nour la nuit. Ses yeux fleurissent et des papillons s'y posent comme des larmes humides échappées à l'horizon de sa raison.

La voix de Mariam Nour en surgissant vient de percer sa voix. Elle dit que ceux qui passent sur cette tranche de plage portent à l'index un joyau rare fait d'un caillou rosé qui brille sous les soleils et dans la nuit. Les rayons de la mer les aspirent comme des ventouses. Les joyaux tombent au fond de l'eau. Ce sont des larmes de méduses qui se collent sur la mémoire de la mer. Sa mémoire est chargée de larmes de méduses.

C'était... c'était à ce moment d'avant.
Le soir où le ciel était pêche... et pâle... et perlé comme la mer. Le soir où le voile du ciel avait fondu sur le visage de la mer. Le soir où la nuit avait déteint sur les voûtes du désert. Mariam Nour se baignait entre la mer et le ciel comme une pêche mûre, comme l'écho. Elle sortit couverte de joyaux rares. «Qui veut acheter des joyaux rares», criait Fêve le Fou. «Qui veut acheter les reflets des joyaux rares», crie encore Fêve le Fou ulcéré par la vision. «Qui veut acheter des figues...!»

Ce Conte est sorti de la bouche d'un fou furieux d'impuissance.
La mer divague.
La mer divague.
Et sur cette plage il n'y a que des figuiers.

Madeleine était rentrée cinq minutes plus tôt que d'habitude. La porte de la chambre était fermée. Elle y colla légèrement son oreille et n'entendit qu'un souffle prolongé, ce qui la rassura. Elle entra dans la cuisine, découpa la salade et assaisonna les tranches de poisson qu'elle allait frire à l'heure du souper. La porte restait fermée. Elle se lava soigneusement les mains, s'aspergea d'eau de toilette et dressa la petite table à deux places. La porte restait fermée. Elle tira le sac dans lequel elle rangeait les retailles et entreprit d'avancer la courte-pointe qu'elle avait commencée depuis quelques mois. Elle cousut deux nouveaux carreaux. La porte restait fermée. Puis elle se leva et fit frire le poisson frais dont l'odeur alléchante inonda tout l'étage. La porte restait fermée. Elle posa le repas sur la table, colla à nouveau son oreille sur la porte, entendit encore une fois un souffle prolongé, puis revint s'asseoir et mangea seule, lentement, discrètement pour ne pas déranger le jeune homme. Quand elle eut terminé, elle ramassa les assiettes, fit la vaisselle, la sécha, la rangea, s'installa sur le divan, alluma la télé, ne regarda qu'une partie de l'émission puis l'éteignit. Elle ouvrit le divan, alluma sa lampe de chevet, eut envie de parler, se tut, ferma les yeux, imagina la plume trempée dans l'encrier sur la table de la chambre et les papiers froissés débordant de la corbeille, eut un élan, vite retenu, vers la porte de la chambre, et finit par céder au sommeil qui la ravit à cette journée.

Le lendemain, elle se leva dès l'aube, éteignit la lampe de chevet, prépara le café et, dès que le jeune homme eut entrebâillé la porte, elle se glissa comme un chat feutré dans la chambre sombre, posa la tasse sur le bord de la table, le regarda droit dans les yeux, vit qu'ils étaient très rouges. Alors, dans cette tendresse diaphane que seuls savent éprouver ceux que la souffrance a doté de clairvoyance, elle lui dit en souriant: «Bonjour Fêve».

Le jeune homme contempla Madeleine un long moment, ahuri, émerveillé. Il contempla Madeleine comme les condamnés à mort contemplent une lettre de grâce.

Ce matin, Madeleine se rendit à pied à son

travail. Elle se sentait si légère qu'elle avait l'impression de survoler la neige, de planer au-dessus de déserts qui se pavanaient sous l'ombre de ses ailes lui livrant des secrets enrobés de silence, des secrets vifs, ardents, des secrets qui fendaient les voiles de son imaginaire jusqu'à lui laisser frôler l'envers de toute image, «l'imaginaréalité».

Alors,
Je disais que les vraies histoires sont des énigmes et les déserts en sont truffés.

Fêve n'a jamais rencontré Mariam Nour.
Fêve n'a jamais rencontré aucune femme.
Fêve n'a jamais séduit personne.
Fêve n'a jamais tué personne.

Il paraît que Fêve entend.
C'est lui qui le dit.
Moi je raconte.
Je raconte que son cerveau ressemble à un cercueil fleuri quand il entend la voix de Mariam Nour à la saison des figues.

Il dit se souvenir.
Il dit entendre Mariam Nour.
Il divague, il divague mais moi... moi... je vais essayer de rester dans la bonne tonalité.

*Alors,
le sable du plus creux désert me rapporte que la vieille femme aux voiles opaques dont on n'a jamais vu le visage, dit à la femme au voile vert transparent qui porte des colliers nuptiaux, qu'un soir de pleine lune pêche on a trouvé un bébé de sexe féminin posé sous la tente du plus vieil homme de la tribu. Personne ne le reconnut, personne ne le réclama. Il paraît que le bébé fut enfanté de la longue barbe du sage, comme les miracles. Qu'une chèvre errante en passant eut pitié, s'arrêta, et le nourrit pendant sept ans de nuit.*

Pendant sept ans de nuit Fêve cria dans le sein du désert: «Qui veut acheter une petite fille verte sortie de la bouche d'un patriarche? Qui veut acheter une petite fille verte sortie de la mémoire d'un patriarche? Qui veut acheter une fille aux yeux de figue voilée? Qui veut acheter mes figues? Qui veut acheter mes belles figues?»

*Arrière Fêve le Hagard...
Ferme ta cale à cri...
Écaille ta voix qui nous engorge avant que je ne te lapide...
Boucle tes incisives...*

Cesse de gémir avant que je ne te parque à jamais dans ta carrière de pierre...
Laisse-moi entendre la voix de Mariam Nour...
Laisse-moi.

Car la voix de Mariam Nour coule comme le lait d'un oiseau rare quand elle parle de ceux qui passent sur cette tranche de plage. Elle dit qu'ils portent des armes tissées aux cheveux d'enfants accouchés sous des lunes pêche. Que la mer les tire dans ses flots et que soudain un babillage d'enfants libérés fait des bulles qui montent sur la peau translucide de l'eau. Il y a des bulles pêche entre ses seins. Elle les garde et les caresse dans les coins roses de l'amour... dans le coin rose de la mer...

Moi je ne suis pas fou. Ni sage.
Et je veux rester dans la bonne tonalité.

Ce matin, Fêve s'était soigneusement calfeutré avant de sortir, comme Madeleine le lui avait appris. La texture du vent était de celles qui enveloppent merveilleusement quand on est couvert de fourrure et de duvet, et qui frigorifient quand on est inadéquatement vêtu. Le jeune homme était, malgré son calfeutrage, inadéquatement vêtu pour un jour de grand vent. Mais cela en cette heure n'avait pas d'importance, il était poussé par l'urgence de trouver dès que possible un nouvel emploi. À son arrivée au pays, il avait travaillé comme éboueur, mais on l'avait mis à pied après le passage des inspecteurs chargés de dénoncer l'embauche des travailleurs au noir. Le patron n'avait pas osé le réembaucher, et puis, au fait, d'autres réfugiés plus réfugiés que lui étaient prêts à travailler pour un moindre salaire. Un collègue de misère lui avait indiqué le nom et l'adresse d'un contremaître qui prenait en sous-contrat des travaux de plomberie. À présent qu'il parlait un peu la langue, il était moins saisi d'effroi à l'idée de passer une entrevue. Il avait attendu plusieurs semaines avant d'obtenir le précieux rendez-vous auquel il se rendait ce midi. On le sollicitait cette fois pour un travail plus délicat. Il devait récurer les égoûts d'une banlieue prospère à l'ouest de la ville. Pour lui c'était une offre inespérée. Travaillant sous la terre, il risquait moins de se faire dénoncer puisque d'habitude les gens, dits civilisés, répugnent à mettre le nez dans les égoûts. La banlieue se situait à vingt minutes du centre de la ville. En autobus, il devait compter environ deux heures de trajet. Il s'y était pris d'avance. En chemin, dans l'autobus qui roulait sur l'asphalte glissant, il priait pour obtenir l'emploi. Il priait dans la langue de sa mère et même par moments dans la langue de Madeleine qui lui avait appris à dire «Notre-Dame du Bon Secours». En priant il rêvait. Il rêvait au manteau doublé de mouton qu'il allait bientôt acheter, d'une chemise blanche, d'un cardigan de laine et d'un pantalon gris. Bientôt peut-être il aurait l'air de tout le monde. Il ne serait plus un jeune homme à l'aspect désuet. Il rêvait. Il rêvait du sac de cuir vernis qu'il voulait offrir à Madeleine, des biscuits au petit beurre qu'il lui ramènerait de la jolie pâtisserie sur la rue Saint-Denis, des figues de barbarie qu'il lui fera découvrir, il en a vu hier dans la vitrine du marchand de fruits exotiques.

Il fut embauché.

Au noir bien sûr.

Quand il quittait la maison à l'aube, il faisait encore noir. Il prenait d'abord l'autobus bleu, ensuite l'autobus gris et, deux heures plus tard, il glissait dans le trou noir pour la journée. Il ressortait à l'heure où le soleil se couchait, il faisait noir déjà. Deux heures plus tard, il se retrouvait enfin dans l'étonnante chaleur de Madeleine. Ils dînaient ensemble. Il avait appris à desservir la table. Il mettait les restants dans une boîte de plastique. Quelquefois il regardait le feuilleton quotidien de Madeleine. Puis il entrait dans sa chambre. Une chambre toujours nette. Même si, depuis qu'il avait des horaires de travail réguliers, il quittait la maison beaucoup plus tôt que Madeleine et avait à peine le temps de tirer grossièrement les draps de son lit. Quand il entrait dans sa chambre, il n'y avait ni grain de poussière ni papiers froissés qui traînaient dans la corbeille ou sur le tapis. Il allumait la lampe basse. Toute la nuit. Comme s'il avait peur du noir. Il dormait peu mais cela ne semblait pas lui causer d'épuisement. Il était poussé par une fougue incontrôlée, un instinct de survie qui le portait à agir, à profiter de toutes les minutes que ce temps lui allouait pour ancrer son image, parvenir enfin peut-être à exister. S'il avait relégué son passé brûlant dans les zones du rêve, il comprenait timidement que le présent ne lui accordera ses lettres de créance et un certain repos du cœur qu'au moment où il lui aura offert en échange la trame de son passé aussi halluciné qu'il puisse paraître. Quand il pensait à Madeleine, sa passerelle magique vers le présent, il ne pouvait s'empêcher d'être saisi par sa confiance sans limite, et pourtant il s'étonnait à peine de l'intuition de cette femme qui semblait avoir tout deviné d'emblée, comme si dans son propre passé quelque chose l'avait prédisposée à accueillir l'impossible errance, à guérir les entailles du cœur.

Alors,
je disais que Mariam Nour fait des onguents pour panser les filles du désert. Elle prend le premier lait d'une chèvre pubère, le suc d'un palmier nain, trois piquants de cactus et l'eau d'une oasis mirage. Elle invoque l'assistance d'un esprit assassiné d'amour.

Les filles du désert viennent à elle, étalant leurs blessures béantes. Elle les enduit de son onguent. Elle étale son onguent sur leurs blessures béantes incendiées par le soleil à l'aide d'une palme de figuier vert.

Le vert de ses yeux aidant, l'onguent vert se mettait à briller comme l'albâtre, et les filles, transfigurées, devenaient des nymphes désertiques... Elles se mettaient à planer au-dessus des tentes beiges et des figuiers, au-dessus des dunes et des tombeaux de sable, au-dessus de la mer, plus haut que la naissance, plus

haut que l'existence, plus haut que la douleur, jusqu'à atteindre une sphère intangible que personne ne vit jamais, mais qui fut rapportée par les esprits parlants comme étant le lieu de l'aube, le lieu d'une aube voilée de vert cendré de gris perlé, qui rejoignait dans l'infinie nuance de sa couleur, la couleur des yeux de Mariam Nour, avant.
Avant qu'elle ne devienne figue.
C'est le Fou qui dit cela.
Avant qu'elle ne devienne figue accrochée aux figuiers verts de ce désert.
C'est encore Fêve qui dit cela.
Avant qu'elle ne devienne figue de soie sur la mémoire.
C'est moi qui dis cela.
Et je suis sans doute dans la bonne tonalité du conte.

Alors je laisse le Fou hululer dans le désert.
Hulule Fêve, hulule dans ton désert.
Qui veut acheter des onguents de renaissance... Qui!
Qui veut acheter les anti-morts... Qui!
Qui veut acheter les trompe-morts... Qui!
Qui veut mettre de l'onguent sur la bure de sa vie... Qui!
Qui veut acheter de l'onguent de figuier vert... Qui!

Qui veut acheter des figues mûres... Qui!
Qui veut acheter des figues... Qui veut... Qui veut!

Hulule Fêve le Fou.
Hulule à ton aise je n'entends rien.
Ni ta voix éraflée ni la blessure béante de ton cerveau fleuri ne feront dévier la marche sainte de mon conte.
Hulule Fêve le Fou.
Et que tous les démons de l'univers te fassent écho...!!!

Puisque sur cette plage il n'y a que des figuiers.

À la buanderie, Madeleine s'affaire devant l'«ogresse» pendant que les Trois Clara autour de la calandre synchronisent leurs gestes. Deux d'entre elles étirent le drap qu'elles passent dans le rouleau repasseur. La troisième le cueille à la sortie et le pose sur la plieuse qui le plie automatiquement. La préposée au comptage le ramasse alors et le place sur la pile. À douze, elle va fermer la pile.

La ligue des Trois Clara travaille avec cette assurance que donne l'expérience. Tout en travaillant, elles échangent des commentaires. Ce matin, comme depuis quelques temps, leur sujet favori est le jeune Asiatique qui les intrigue profondément. Son visage mystérieux, impénétrable, les irrite, les effraie. Sans doute à cause de ses traits qu'elles ne reconnaissent pas, de sa totale différence de mouvement, de son silence inquiétant. La face impassible du jeune Asiatique irrite les Trois Clara d'autant plus qu'elles constatent que, même s'il ne comprend pas un mot de leur langue, il accomplit son travail sans erreur. Comment peut-il savoir si bien ce qu'il doit faire. Il accomplit le trajet des points de chutes à la buanderie comme on fait un pèlerinage. Il pousse délicatement le chariot et déverse les sacs de linge avec une infinie précaution pour ne pas frôler le linge propre, car le préposé au linge souillé ne doit jamais effleurer le linge stérilisé. Il fait ce geste comme s'il faisait une révérence. Madeleine ne peut s'empêcher de lui sourire à ce moment. D'un sourire qui semble être une réponse à un salut. Les Trois Clara ne voient pas cela du même œil que Madeleine, c'est évident. De leur angle de vision elles perçoivent des choses qui les déboussolent et aiguisent en elles une sorte de haine indéfinie, une haine, comme on dirait, épidermique, épidémique, qui peut même devenir contagieuse. Au fait, elles ne savent pas exactement ce qui, en lui, les rend furieuses. Et pourtant, ce genre de furie est toujours justifié par des images enfouies sourdement dans nos tiroirs à préjugés et dans le sac d'intolérance que nous avons hérité de l'Histoire. Ou alors, plus simplement, c'est le mystère de l'alchimie humaine. Ce mystère qui fait qu'entre une veille et un levant les humains deviennent féroces et se saccagent sans distinction.

Madeleine reste ahurie quand elle entend passer les flèches empoisonnées que les Trois Clara dirigent contre le jeune homme. Avant l'arrivée de l'Asiatique, elles ne se racontaient que quelques bribes de joie quotidienne, leurs petits et grands malheurs, leurs lots de solitude. La vie semblait faite de ces états à répétition qui n'étonnent personne et ne passionnent aucun sens. Depuis l'arrivée de ce jeune homme à la buanderie, une sorte d'agitation s'est emparée d'elles. Une frénésie inconnue jusque-là, une dynamique de combat, un plaisir de l'attaque. Elles se sont découvert une âme de révolutionnaires. Si cet intrus complote pour gravir le moindre échelon... ou pis encore... s'il espère les forcer à prendre une retraite anticipée...

C'est à cause de ce qui s'est passé l'automne dernier. L'automne dernier, Clairette dut se faire opérer à la colonne vertébrale. Elle étirait les draps depuis si longtemps qu'une vertèbre avait fondu dans le bas de son dos. Pendant son absence, le jeune Asiatique avait proposé les services de sa mère en attendant son retour. La vieille Asiatique fit preuve de minutie et de compétence. On décida de la garder comme employée à temps plein au pressage. Ce poste nouvellement ouvert et instantanément pourvu par cette femme aviva la colère de Clara Leibovitch. Elle essayait depuis plusieurs mois de placer sa belle-sœur fraîchement débarquée d'Europe de l'Est, après que cette dernière eut, pendant plus de six ans, lutté avec acharnement pour amasser les pièces nécessaires à son dossier, afin d'être reçue, en bonne et due forme, comme immigrante dans ce pays. Ce qui n'est pas le cas, vocifère Clara, de la dame au vison noir moucheté d'or chez qui sa belle-sœur fait du ménage de temps en temps, qui se dit réfugiée de je ne sais quel pays en guerre, et qui a obtenu son statut d'immigrée le temps de le dire, moyennant un versement substantiel dans une des banques du pays. Et l'ancien voisin de Clarence Lindsay, le Marocain, qui dès son arrivée entraîna son mari dans une faillite frauduleuse, puis s'enfuit, pour revenir trois ans plus tard brandissant fièrement son passeport de citoyen de ce pays. Et la famille de Sikhs qui habite à douze personnes dans un deux pièces et demie, qui mange du poisson pourri, au dire de la nièce de Clarence, et qui laisse traîner les sacs d'ordures dans les couloirs. Et tous ces Haïtiens, au dire du beau-frère de Clairette, qui se sont improvisés chauffeurs de taxi, inondant le marché, de sorte que ses revenus à lui, qui travaille depuis vingt ans dans le secteur, ont substantiellement baissé. Et ces Égyptiens, ricane Clara, qui, au dire de l'une de ses amies autrichiennes, ont emporté avec eux leurs selles de chameaux pour décorer leurs maisons d'exil, et qui se promènent en robe de chambre d'un appartement à l'autre, la carafe de café à la main. Et ces Chiliens, Salvadoriens, Colombiens qui trafiquent avec de la drogue, et ces Iraniens qui voilent leurs femmes dans les rues, et ces Juifs à boudin qui sentent la sueur, et ces Turcs qui nous tombent dessus sans préavis, et quoi encore, quoi encore, les urgences des hôpitaux engorgées, le métro où l'on se croit dans la tour de Babel, mon Dieu, mon Dieu.

Quelques mois plus tard, Clairette avait repris son poste. Tout était rentré dans l'ordre. Mais désormais la menace semblait planer. De sorte que Clairette, mal au dos ou pas, ne se hasardait plus à manquer une journée. Les deux autres la secondaient dans sa misère. Elles ont même réussi à impliquer dans leur mouvement les filles du «triage» et celles de l'«essoreuse». Et ce n'était qu'un début.

Madeleine ne comprend pas grand-chose

à cette cabale. Il y a des êtres ainsi faits qu'ils se placent instinctivement hors de la majorité. Madeleine n'a jamais fait partie d'aucune majorité. Même quand elle était enfant. À l'école, les autres enfants la trouvaient trop brune-trop rouge. Ses tresses étaient trop longues et ses cheveux trop noirs. Il y avait rarement une place pour elle à la ronde ou à la marelle. Elle sautait seule à la corde en les regardant jouer ensemble. À l'époque, ses grands-parents vivaient sur la réserve indienne située à cent milles de la ville. Elle y passait souvent les fins de semaine et les congés des fêtes. Quand elle revenait, elle leur racontait des histoires d'animaux et de feux follets que personne ne comprenait. Personne ne la croyait. On l'appelait la menteuse. Avec le temps, elle avait cessé de raconter. En grandissant, elle avait coupé ses cheveux et les avait éclaircis à l'eau oxygénée. Dans la haine des Trois Clara pour le jeune Asiatique, il y a quelque chose que Madeleine ne comprend pas. Elle ne voit pas la raison profonde de cette cabale contre le présumé envahisseur. Ou alors, sans le savoir, elle refuse de voir ce qui pourrait ressusciter des blessures mortes. Cependant, son instinct lui laisse présager que les Claras attendent l'Asiatique au premier tournant, à la première faille, à la première chute sur le verglas que lui tend le nouveau climat.

À trois heures sonnantes, Madeleine s'est levée, a enfilé son manteau rouille, son foulard et son chapeau blanc. Le jeune Asiatique s'est précipité pour lui tenir la porte. Les Trois Clara ont traîné au vestiaire jusqu'à ce que tout le monde fut sorti. Le préposé au graissage est venu graisser les machines et balayer le parterre pour le deuxième «shift». Clara se plaignit d'avoir mal au poignet, Clarence d'avoir mal au rein et Clairette sortit péniblement en se tenant le dos. Elles aperçurent l'Asiatique qui se préparait à pousser le chariot pour aller le remplir. Toute leur fatigue du jour, leur mal au corps et leur rancune devant cette vie plus souvent difficile que délassante passèrent dans le regard qu'elles lui lancèrent en sortant. Et c'est sur cette image qu'il commença sa journée supplémentaire.

L'Asiatique travaillait de sept-à-trois et de trois-à-dix. Il faisait tous les jours une journée supplémentaire. C'était son horizon. Sa psalmodie à la vie qui l'avait sauvé des eaux de la mer de Chine. Sa façon de s'intégrer à la vie d'un pays qui l'avait accueilli en lui donnant d'emblée ce qui revient de droit à tous les humains de la terre, la liberté.

Alors,
il y a des vieilles langues, dans le village désertique, qui racontent que Mariam Nour avait été acheminée dans ce désert, portée sur le dos d'un prophète. Qu'elle glissa d'une caravane de paroles sur le sable. Qu'elle était si claire que personne ne la vit d'abord et que les chameaux en passant la foulèrent aux pieds.

D'autres vieilles langues racontent que Mariam Nour est une sorcière qui fait battre en retraite les hommes les plus guerriers, qu'elle émet des ondes vertes qui sabrent leurs élans et qu'elle protège ainsi son territoire de sable, sa descendance de figuiers.

Le plus fou des fous du village désertique dit l'entendre prier. Dit entendre son chant sous toutes les lunes filantes. Dit que le contour de Mariam Nour est gravé dans les Livres Saints.

Voilà.

Ici le sable est beige.
Le sable est beige sur cette plage et il n'y a que des figuiers désertiques qui chuchotent avec le bruit de la mer.

Après le repas du soir, le jeune homme ramasse les assiettes, lave la vaisselle, secoue les serviettes, essuie la table avec le chiffon humide, se lave les mains, puis va s'asseoir sur le divan près de Madeleine et regarde avec elle le téléroman de sept heures. Depuis qu'il travaille, il nage dans la béatitude. Même si l'humidité lui transperce les os, même si par moments l'odeur des tuyaux le fait suffoquer, même si ses mains sont pleines de crevasses, il nage dans la béatitude. Il gagne de l'argent. De semaine en semaine il accumule des dollars. Et n'en croit pas ses yeux. Pourvu que ça dure. Pourvu qu'il ne tombe jamais malade. Pourvu que le contremaître ait encore besoin de lui quand ce contrat sera fini. Il a acheté des chemises blanches et un complet de laine gris. Il va bientôt acheter le manteau doublé de mouton. Madeleine a dit qu'il fallait attendre les soldes. Madeleine a dit aussi, l'autre soir, qu'elle était née en février, un jour de pleine neige. Alors, pour février, le jeune homme voudrait pouvoir lui offrir des choses, des choses, des tas de belles choses. Et une machine à laver sur roulettes où elle pourra laver son propre linge sans avoir à le transporter au sous-sol. Elle n'en croira pas ses yeux. Le jeune homme voit déjà son sourire, la voit déjà affairée gaiement à déballer le gros paquet.

Par son travail, Fêve gagne de l'argent. Sauf qu'il est à la merci totale des événements. D'un délit, d'une erreur, d'une chute, d'une dénonciation. Mais il a plus d'argent qu'il n'a jamais rêvé d'en avoir. Il paie la moitié du loyer, du compte de téléphone, du marché. Madeleine lui a demandé hier s'il voulait envoyer un peu d'argent à sa famille. Le jeune homme eut un regard étonné et ne sembla pas comprendre ce qu'elle disait. Elle répète aujourd'hui sa question. Les yeux de Fêve s'égarent et il entre dans le mutisme. Dans un de ces mutismes auxquels Madeleine s'était désormais habituée.

Il se leva et entra dans sa chambre. Madeleine ouvrit son divan. Elle ne put même pas écouter les nouvelles à la télé tant le silence qui filtrait de la chambre de Fêve était puissant.

Ainsi se déroulent les contes désertiques.

Alors,
ce désert était peuplé d'hommes larges portant de longues robes beiges, la tête encadrée dans une bure beige, les yeux noirs creusés dans la profondeur de leurs visages hâlés, les gestes lents, lents comme la marche désertique du temps. Ce désert était peuplé de femmes aux longues robes noires, aux visages rosés, aux yeux beiges et aux gestes éthérés, éthérés comme la voix désertique du temps. Ce désert était peuplé de chameaux verts, de figuiers verts, verts comme les nuits désertiques où les lunes s'éclipsent pour rassembler les contes.

Jusqu'au jour où le démon qui depuis l'éternité rôde dans l'univers, faisant périodiquement des incursions dévastatrices sur des portions de terre, se pencha sur l'oreiller des sables voisins de ce désert. On vit alors ce que jamais de mémoire humaine on n'avait même osé imaginer. Les sables voisins se soulevèrent et se mirent à cracher des landes de lave sur cette plage. Les figuiers furent calcinés et la mer ulcérée régurgita de l'écume rouge, si rouge que toute l'étendue de sable autour se changea en boue pourpre et ses reflets allèrent jusqu'à déteindre sur la face de la lune qui se mit à verser des larmes de sang humain.

Arrière l'halluciné...
Tais ton regard hagard...

Ce désert est encore peuplé mais on n'entend jamais un son. On dirait que les humains qui l'habitent ne parlent plus. En vérité, quand ils parlent, leurs sons de voix se tressent avec le vent, s'étalent sur la mer, comme une complainte sur le silence habité du silence.

Il y a une figue verte accrochée à la branche du figuier nain...
Il y a une figue volante qui scintille les soirs où les lunes sont pêche...
Il y a une figue amère qui suinte sous le sable...
Il y a une figue qui brûle dans le cœur du soleil...
Il y a, il y a une figue verte qui nage sur la peau de la mer...

Arrière le Hagard... Laisse-moi me ressaisir, je suis loin de l'horreur moi, loin de l'horreur... Ne dis plus rien... Bavard... Indiscret... Indécent...

C'est parce qu'une petite enfant verte, qui vendait des figues aux caravanes passantes, a dit à Fêve qu'elle lui ferait don d'une figue mûre qu'il poserait sur son front rouge pour faire tomber sa fièvre. Il paraît que la petite enfant le fit asseoir tout près d'elle sur le sable pour l'abriter du soleil brûleur, à l'ombre de son panier de paille. Il paraît qu'elle posa ses petites mains beiges sous ses cernes rougis et recueillit ainsi les cailloux cristallins qui tombaient de ses yeux.

C'est ainsi que se trament les contes désertiques.

... Et si quelqu'un a l'intention d'interrompre le conte je vais perdre la voix.

Madeleine vient de passer une bien étrange nuit. Une de ces nuits qui dévoilent brusquement l'envers des mondes visibles. Ce matin, elle ne retrouve pas les éléments précis de ce qui l'a si profondément troublée. Elle garde seulement l'empreinte d'une atmosphère, d'un climat qui, cette nuit, emplissait sa maison et qui la laisse ce matin dans une sourde angoisse. Elle eut soudain le désir caché de se retrouver seule à nouveau, dans sa demeure close, loin de cet être qui la force à accomplir de si troublants voyages. Mais peut-on arrêter la marche du destin! Les dés semblaient être jetés, elle ne pouvait désormais se soustraire à ce sort qu'au risque de renier une part de son âme. Cependant, elle constatait que, grâce à ce mélange d'inquiétude, d'attachement douloureux et de curiosité passionnée, elle avait réussi à se défaire du poids le plus lourd qui pesait sur sa vie: le poids de l'ennui.

En faisant sa toilette, elle se rendit compte que son eczéma était en éruption. Elle attribua son malaise à cette douleur physique, enduit l'eczéma d'onguent, fit un pansement et partit sans retard à son travail.

Ce jour-là, à la pause-déjeuner, le moindre mot que pouvaient prononcer les Trois Clara lui paraissait suspect. Elle était d'humeur irritable. Elle décida alors de manger debout, près de la machine à café, avec le jeune Asiatique. Ils conversèrent longuement. Après la pause, il l'accompagna jusqu'à l'«ogresse» et l'aida même à fixer le gros sac de linge avant de reprendre son chariot en souriant à pleines dents.

En rentrant de son travail, Fêve trouva un mot de Madeleine l'avertissant qu'elle était sortie faire des emplettes. Il eut soudain envie de lui faire une surprise et décida de préparer le repas. Il enfila son pardessus et se dirigea à grands pas vers la rue Saint-Laurent. Sur cette rue voyageuse, on trouve les ingrédients nécessaires aux recettes culinaires de tous les pays du monde. Il s'engouffra dans une épicerie à la devanture colorée. Il acheta des cubes d'agneau, un sac de pommes de terre, un sac de carottes, une aubergine, trois oignons, une branche de coriandre fraîche, une branche de persil, une gousse d'ail et un sachet d'épices mystérieuses. Dans son pays, on mangeait de l'agneau rôti les jours de fête. Ce soir, il allait improviser une fête pour Madeleine. Une fête imprévue, une fête de hasard. Puis il s'arrêta chez le vendeur de fruits exotiques et acheta à prix d'or quatre figues mûres importées d'Anatolie. Il rentra vite à la maison, assaisonna l'agneau, éplucha les pommes de terre, l'aubergine et les carottes, les coupa en cubes, se coupa le doigt, maudit le couteau, rinça le sang et se remit au travail, éplucha l'oignon, pleura toutes les larmes de ses yeux en le tranchant, hacha le persil, la coriandre et l'ail, posa le tout dans un papier ciré qu'il replia soigneusement, plaça le paquet dans un plateau et le glissa dans le fourneau. En se lavant les mains, il se souvint qu'il avait oublié de trancher une tomate sur le dessus du plateau. Il dit: «Tabernouche», ouvrit le réfrigérateur, trouva par chance une tomate dans le coin du tiroir, ressortit le plateau, rouvrit son paquet et ajouta la tomate tranchée. Il se sentait d'une humeur nouvelle, presque heureux. Il donna à boire au cactus puis s'accouda à la fenêtre pour guetter l'arrivée de Madeleine. Il l'aperçut, tournant le coin de la rue, portant deux lourds paquets bruns. Il se précipita à sa rencontre pour porter les paquets. Elle avait fait les emplettes pour la semaine, acheté un poulet grillé et une salade de choux pour le souper du soir. En rentrant, elle fut surprise par une odeur inhabituelle venant de la cuisine. Elle leva le sourcil et le jeune homme eut un sourire coquin. Madeleine regarda avec tendresse ses deux incisives blanches. Il lui servit un verre de vin rouge en attendant que l'agneau soit cuit à point. Pour la première fois, Madeleine lui parla du jeune Asiatique qui travaillait à la buanderie. Ce midi, il lui avait offert de goûter à son poulet, frit dans l'huile de tournesol. L'odeur de l'agneau rôti montait dans la maison. Madeleine jubilait, riait fort, un peu grisée par le vin. Elle voyageait dans l'odeur de la coriandre fraîche vers des villages magiques où le soleil régnait sans éclipse. Ils se mirent à table et dégustèrent ce repas dans une humeur de vacances. Après le repas, Fêve plaça le plat de figues au centre de la table en disant à Madeleine que c'était le fruit le plus doux que la terre ait porté. Madeleine fut tellement attendrie qu'elle trouva en effet que ce fruit était plus doux que le miel le plus pur. Alors elle lui parla à nouveau du jeune Asiatique. Elle lui raconta qu'il était arrivé un jour par le port. Fêve frémit, mais la bonne humeur de Madeleine le rassura. Elle lui raconta qu'il avait obtenu le statut de réfugié. Qu'il avait obtenu un permis de travail. Qu'il avait réussi à faire venir sa mère et quelques membres de sa famille. Fêve l'écoutait sans vouloir entendre. Il faisait de la tête un geste circulaire qui ne voulait dire ni oui ni non. Madeleine ne se découragea pas. Elle lui dit qu'elle avait pris congé demain. Qu'elle voulait l'accompagner au bureau d'immigration pour remplir une demande d'asile. Elle lui dit de ne pas avoir peur. «N'aie pas peur Fêve, j'ai demandé au jeune Asiatique ce qu'il faut faire. Il m'a tout expliqué.» Fêve se mit à trembler. Il ne lui avait pas encore parlé d'Americo. C'était le moment de lui parler de sa rencontre avec Americo.

Americo.

C'était le prénom de l'homme aux cheveux très noirs et très bouclés qui adressa la parole à Fêve quand il l'eut croisé pour la troisième fois à la station de l'autobus gris. La première fois, il l'avait regardé avec méfiance. La deuxième fois, il s'était placé près de lui dans la file. La troisième fois, il lui parla. Il lui parla dans une langue que Fêve ne sembla pas comprendre. Enfin il se décida à lui parler en français, avec un accent ébréché, chantonnant, mais que Fêve comprit pourtant et auquel il répondit par quelques mots lents à venir mais qu'il énonça très clairement.

– D'où?

– Du désert.

– Moi Salvador. Et toi?

– De loin.

– Famagousta...? Negev...? Arménie...? Karabakh...?

– Oui.

– La guerre?

– La guerre.

La bousculade dans l'autobus les rapproche. À présent, ils se chuchotent dans l'oreille.

– Passeport?

– Non.

– Permis?

– Non.

– Arrivé quand?

– Beaucoup de jours.

– Moi habite pension Sanguinet. Toi?

– Avenue des Cèdres Blancs.

– Passeport?

– Non.

– Visa?

– Non.

– Permis? Immigration?

– Non.

Et Americo baissa la voix.

– Moi aller immigration, moi déporté, moi caché...

Fêve tremblait en racontant cette rencontre à Madeleine. Ses yeux hagards la suppliaient de renoncer à prendre rendez-vous avec l'agent de l'immigration. Madeleine se leva calmement, lui prit les deux mains, le regarda dans les yeux avec cette force que personne ne soupçonnait et lui dit: «Je suis une Québécoise, moi. Une Ancienne du «Kébec». Tu sais ce que signifie «Kébec»? «Là où passe le fleuve.» J'ai des droits sur cette terre et je te garderai...

«Et puis, après, tu pourras appeler ta famille... Dis-moi, Fêve!... Est-ce que tu as une famille...?»

Si quelqu'un a l'intention d'interrompre ce conte je vais perdre la voix.

Alors, laissez-moi dire encore, laissez-moi dire que des caravaniers aux longues robes de lin habitaient ce désert. Des tribus liées par le sang, où l'arrière-petit-cousin était aussi le troisième-fils-de-la-grand-mère. Des tribus aux filiations désordonnées, éclatées dans l'espace immense des lieux. Des tribus qui tantôt s'aiment et tantôt se déciment, depuis que le désert est désert. Des tribus caravanières qui se déplacent à la recherche des oasis, et dont les poètes reviennent pleurer ou chanter sur les traces des pics des tentes, sur le souvenir d'un amour voilé.

Les derniers-nés de ces tribus vendent des figues aux rares passants qui traversent le désert. Car il n'y avait pas d'estivants sur cette plage, ni de larges résidences ni de parasoleils.

Mariam Nour dit qu'en l'an de Géhenne une caravane inconnue jusque-là passa dans le désert. Une caravane vêtue de plomb dont la cuirasse attira la foudre et le tonnerre. Les figuiers furent inondés ainsi que les enfants vendeurs de figues. Une enfant aux mains beiges survécut au déluge. Elle porte sur la tête son panier chargé de figues et avance lentement dans le sable boueux. La caravane affamée arrache son panier et laisse tomber sur le sable des lingots orfévrés à l'or noir des déserts. Le sable aspire les lingots et la mer les avale et ne rend pas le change. Ce sont des huîtres noires qui sécrètent des secrets d'enfants vertes démunies à jamais. Mariam Nour garde des huîtres noires dans le fond de ses yeux. Elle les garde à jamais comme des joyaux cruels, des bijoux d'enfance jamais reçus, des joncs de noces jamais portés.

... Si quelqu'un a l'intention d'interrompre ce conte je vais perdre la voix.

Écoutez, écoutez ...
Mariam Nour est née avec une malformation à l'arrière du cœur. C'est le vieux Mage Apothicaire qui a dévoilé à Fêve le secret de son mal. Au carrefour des artères et des veines, un sillon démesuré laisse affluer le sang, puissam-

ment, de sorte que le pouls de son cœur crève le cœur de la mer.
Écoutez...
Écoutez...

C'est Fêve qui crie cela.

Tuez-la si vous pouvez.
Tuez-la, tuez-la si vous pouvez.

C'est Fêve qui crie cela.
Et c'est la dame aux voiles opaques qui l'a entendu.
Elle lui a craché au visage. Ensuite elle a ameuté la horde de chiens. Ils se sont lancés sur lui et ont déchiqueté sa tunique de bure. Celle qu'il portait les jours de fête. Les jours de lunes roses. Les nuits de lunes pêche. Les heures où l'écoute fertile achemine les voix de l'ombre. Les jours où son front rouge verdissait sous les vibrations de la voix de Mariam Nour. Qu'il entendait, disait-il...
Mais c'est lui qui le disait.
C'est lui qui le dit encore...
Tuez-la...
Tuez-la... si vous pouvez.

Il n'y a que Fêve qui passe sur cette plage.
Avez-vous rencontré Fêve un jour...?

Il n'y avait pas encore de villas.
Seulement des figuiers.
Et il y avait un soleil le jour et une lune la nuit pour l'amour, pour l'unique amour des figuiers du désert.

Le contremaître pour lequel Fêve travaille s'occupe aussi d'installer les tuyaux du nouveau gratte-ciel situé à quelques mètres du lieu où Fêve disparaît tous les matins. Une importante équipe a été engagée pour ce projet. Dans l'autobus gris, tous les matins, Fêve côtoie une armée de travailleurs venus des quatre coins du monde. Du Sud de l'Amérique, du Nord de l'Afrique, d'Asie ou du Moyen-Orient. Tous semblent portés par le même élan de survie. Fêve répond discrètement à leurs saluts. Mais il est trop timide pour leur adresser la parole. D'ailleurs il éprouve envers eux un étrange sentiment de fraternité mêlé à une méfiance instinctive.

Hier soir, en sortant de son trou, Fêve crut que le monde était enterré sous la neige. Une tempête surprise s'était abattue sur la ville et bloquait les routes. Il dut s'enfoncer jusqu'aux hanches pour arriver à l'abri vitré où plusieurs personnes attendaient l'autobus qui ne pointait pas à l'horizon. Fatalement, il se joignit aux travailleurs entassés dans l'abri. Fatalement, il les entendit parler et se mit à écouter leurs conversations. Deux d'entre eux se vantaient d'avoir obtenu le statut d'immigré en falsifiant leurs papiers, inscrivant sur les formulaires des renseignements erronés, invérifiables sous le système chaotique de leur pays d'origine. L'un d'eux se glorifiait d'avoir présenté, comme preuve de son éducation, un diplôme d'ingénieur acheté dans son pays, alors qu'il n'était qu'un simple maçon. L'autre expliquait par quels moyens retors il avait fait croire à l'agent de l'immigration qu'il n'était pas sorti du pays depuis trois ans, obtenant ainsi le droit au passeport, alors qu'en vérité il avait passé la plus grande partie de son temps à s'occuper d'activités politiques dans son pays d'origine. Un troisième expliqua que son oncle avait réussi à se faire entretenir par la caisse du «bien-être social» en dissimulant son pécule sous le nom d'un cousin. Un quatrième raconta que sa sœur avait consulté neuf médecins différents pour sa douleur à l'estomac. Neuf médecins, insista-t-il, puisque c'était gratuit. Que dans son pays, cette consultation lui aurait coûté toute sa fortune. Qu'elle avait même obtenu ses médicaments sans débourser un sou, utilisant la carte de sa vieille mère. Un autre rapporta que son voisin avait obtenu une indemnité à vie à la suite d'un accident de travail duquel il était, à présent, parfaitement remis. Il avait acheté une maison et s'était mis à boire. Un autre avoua qu'il travaillait au noir tout en encaissant l'assurance-chômage. Enfin un dernier déclara en riant que le meilleur moyen de devenir citoyen était de chanter la pomme à une fille native de ce pays, de l'épouser, et de s'en débarrasser dès qu'il en aurait l'occasion. Dans la cohue, ils s'encourageaient à utiliser ces formules magiques avec une désinvolture ahurissante.

Fêve étouffait. L'autobus arriva enfin. Il sentit monter en lui une violente nausée. Dans la bousculade, il eut la sensation d'être entouré d'étranges parasites. Il pensa à Madeleine qui travaillait si fort depuis très longtemps. Puis il pensa à son statut illégal et se sentit soudain d'une extrême fragilité. Que dira-t-il à l'agent lors de la première entrevue! Que devra-t-il inventer d'illicite afin de parvenir à le convaincre de sa bonne foi. Lui qui avait été éjecté de sa terre natale pour une cause tellement... inexprimable. Que racontera-t-il? Et qui voudra le croire s'il ne dit que la vérité?

Pendant qu'il ruminait ses pensées amères, Americo se glissa dans la foule jusqu'à lui. Il lui apprit que le jeune Libanais à la cicatrice sur la tempe gauche, celui qui avait perdu deux frères dans l'explosion d'une voiture piégée, avait enfin été reçu comme émigré et qu'il pouvait désormais travailler au grand jour. Il lui apprit aussi que les trois Turcs avaient été déportés hier et que beaucoup de monde avait protesté pour eux. Les gens sont bons ici, dit-il à Fêve, peut-être qu'ils vont aussi protester pour moi. Americo dit à Fêve qu'il ne voulait plus vivre caché comme un criminel et qu'il projetait le lendemain d'aller au bureau d'immigration dans le but d'essayer, encore une fois, de régulariser sa situation. Il demanda à Fêve s'il voulait l'accompagner. Fêve fit énergiquement «non» de la tête et continua à ruminer son désarroi.

Que racontera-t-il à l'agent lors de la première entrevue! Toute la vérité. Oui. Tout ce dont il se souvient et qui, pour lui, tient lieu de vérité, même s'il continue de penser quelquefois que de larges séquences de son passé se sont déroulées hors du réel. Oui, il ne lui dira que la vérité. Il racontera comment l'obus a traversé sa petite maison de pierres blanches. Comment il n'a pu retrouver, dans les débris, ni cadavres, ni papiers. Un agent humain saura croire ce récit, même en l'absence de témoins. Oui, il dira. Il dira qu'après maintes rebuffades il est enfin parvenu jusqu'aux autorités pour demander de nouveaux papiers. Il énumérera les humiliations après lesquelles on lui a signifié que, pour obtenir une nouvelle identité, il devait désormais changer de nom... et de couleur. Cela, l'agent ne le croira sans doute jamais. Ni le reste de son histoire d'ailleurs... ni le reste... le vol de sa terre... le viol de son amour... Il s'était jeté à la mer pour rejoindre le rêve perdu... Un cargo-providence l'a repêché... Par hasard, il faisait cap vers la Nouvelle Terre... C'était la pure vérité.

C'était la pure vérité. L'essence même d'une vérité si cruelle qu'elle avait la folle allure d'un conte.

Quand il arriva à la maison il était livide. Madeleine tressaillit de joie en le voyant traverser la rue. Elle avait craint qu'il ne s'égare dans la neige. Elle attribua son teint blafard à la fatigue et lui annonça avec bonheur qu'il venait d'être convoqué pour la première entrevue avec l'agent de l'immigration. On ne l'avait pas fait attendre. C'était de bon augure.

Fêve se calma. Il ouvrit ses deux mains, demanda à Madeleine d'y déposer les siennes, se pencha, et posa ses lèvres sur chacune de ses mains. Hommage désertique à celle qui lui avait, sans doute par amour, l'amour étant dissolveur de barrages, ouvert le chemin de l'intégration totale.

Il faut croire que Clarence Lindsay avait entendu des histoires similaires à celles qui avaient étourdi Fêve ce jour-là. Elle habitait un quartier au nord de la ville où s'étaient agglomérés, depuis une vingtaine d'années, plusieurs immigrés de diverses origines. Ce midi, elle avait rapporté quelques histoires aux deux autres et ceci avait attisé leur flamme. Puis, un souvenir avait jailli de la bouche de Clara Leibovitch, qui servit de trame sonore au repas de ce midi à la buanderie. Clara Leibovitch raconta que sa grand-mère était arrivée au pays fuyant l'horreur de la guerre d'Espagne, avec ses quatre filles, sur le pont d'un transatlantique qui accosta à Halifax. Elle avait perdu son mari et sa fortune. Elle portait quatre cercles d'or pur au bras droit. Elle vendit le premier pour payer le loyer de son «deux pièces», le deuxième pour inscrire ses filles à l'école, le troisième pour soigner l'une d'elles atteinte de tuberculose. Elle fut employée comme couturière dans une manufacture de rideaux. Un mois après son arrivée, elle parlait couramment la langue des gens du pays. Jamais elle ne chôma. Avant de mourir, elle avait encore un bracelet d'or au bras droit. Elle demanda à ses filles d'en faire don à la communauté.

«Il y en a qui bûchent et il y en a qui profitent.», dit Clairette, dirigeant son regard vers la machine à café sur laquelle était appuyé le jeune Asiatique. Un tel manque de discernement n'aurait pas dû atteindre le jeune homme puisqu'il travaillait sans relâche dans l'ordre et dans la loi. Mais quand on a les traits du visage différents des autres on se sent toujours un peu visé. Pour la première fois, Madeleine la douce intervint avec colère, sommant Clairette de s'occuper de sa calandre et de laisser le pauvre monde en paix. Il y eut soudain un froid de plein hiver. On aurait cru qu'un banc de neige s'était abattu au cœur de la buanderie.

Dehors, cependant, le printemps pointait.

Le printemps pointait sur l'avenue des Cèdres Blancs. Le concierge de l'immeuble ne reconnaît plus Madeleine. Depuis qu'elle le regarde en face quand elle le croise en rentrant, il remarque qu'elle a de magnifiques yeux noirs. Il trouve que son visage a un éclat particulier. On dirait même que sa peau est plus lisse, que ses traits sont plus fins. Et puis, elle a maigri. À présent, on voit sa taille. Ses jambes se sont effilées. Ses hanches se sont joliment galbées. Sa poitrine a retrouvé sa juste proportion. Elle porte des robes de couleurs vives bien ajustées. Elle a dénoué son chignon et fait boucler ses cheveux qui flottent sur ses épaules comme des vagues. La femme du concierge en est tout étonnée. Samedi soir, elle l'a surprise, rentrant vers minuit, au bras de Fève. Il était vêtu d'un habit de lainage gris parfaitement taillé. On avait l'impression qu'il avait grandi de quelques pouces. Madeleine portait une robe blanche brodée de perles grises sur les épaules. La concierge éblouie ne put s'empêcher de lui dire: «On se marie bientôt, mademoiselle Madeleine?» Madeleine éclata de rire, et son rire résonna dans la cage exiguë de l'escalier. Il faut dire que l'hiver tire vraiment à sa fin malgré les résidus de neige sur les trottoirs. Que l'odeur du printemps circule sous l'aile du vent. Que depuis la visite à l'agent de l'immigration une ère nouvelle d'espoir s'est installée autour d'eux. La concierge en est émue. D'autant plus émue que Madeleine lui a proposé de garder sa fille de six ans afin qu'elle puisse aller rendre visite à sa vieille mère dans les Cantons de l'Est. Proposition acceptée avec enthousiasme pour le premier week-end de juillet.

Avec le printemps qui avance sur la ville, les journées sont plus longues. Quand Fêve sort de son trou, un parfum de fleurs l'accueille. La lumière du jour éclaire encore les lilas éclos et cela l'émerveille. Quand il arrive à la maison il fait encore jour. Le pommier à fleurs blanches, planté dans la cour, embaume. «Si tu veux, Madeleine, nous pouvons planter le cactus dans la cour.»

Fêve est de moins en moins craintif. Il faut dire que le printemps extirpe le sourire aux lèvres closes. Le matin, il dit bonjour au chauffeur de l'autobus. En arrivant, il échange avec les autres quelques mots sur le beau temps. Il parle couramment le français à présent. Avec un accent coloré de désert, mais qui ressemble étonnamment à l'accent de Madeleine.

Ils sont sortis, en ce printemps, tous les soirs. Ils se sont promenés sur la rue Saint-Laurent, Saint-Denis, Prince-Arthur, au Jardin botanique et au mont Royal. Ils ont été voir le film de Gilles Carle et écouter le dernier concert de Ginette Reno. Un samedi, ils ont été à Oka, un dimanche à Québec, un autre samedi au mont Tremblant. Fêve délirait de bonheur. Il se sentait accueilli par des paysages généreux. Un dimanche, ils allèrent à Kanawaké où ils furent reçus par le chef du village qui avait connu le grand-père de Madeleine. Fêve délirait de bonheur. C'est étrange, c'est étrange, ici, quelque chose ressemblait à... chez lui...

Mais comme le printemps passe vite!

Ce soir, au souper, Fêve semblait inquiet. Il dit à Madeleine qu'Americo n'était pas rentré au travail ce matin. «Il avait sans doute un rendez-vous», affirma Madeleine.

Le lendemain, Americo était encore absent. «Peut-être qu'il est malade», annonça Madeleine.

Le surlendemain, Americo n'apparut pas. «Ils l'ont peut-être congédié», chuchota Madeleine...

Comme le printemps passe vite!

Il fait si doux ce soir que Madeleine a déplacé la petite table sur le balcon. Elle a mis le couvert et attend Fêve avec une certaine excitation. À son tour, elle va lui faire une surprise en lui servant pour le souper l'agneau rôti aux légumes. L'odeur flotte dans l'appartement et d'après l'odeur Madeleine se dit qu'elle a bien dosé les épices.

Mais il est déjà huit heures et Fêve n'est pas rentré. Madeleine s'apprête à téléphoner au contremaître, mais le voilà qui arrive enfin. Pâle et essoufflé. Il est allé à la Pension Sanguinet pour chercher Americo. Il s'est trompé d'autobus. À la pension, on lui a dit qu'il était parti. Il a insisté pour savoir où et quand. On a répondu qu'on ne savait rien. Il a dit: «Je suis son cousin.» Alors on lui a dit sous le sceau du secret que deux hommes étaient venus le chercher avec sa valise.

Comme le printemps passe vite!

Cette nuit-là, Fêve rêva d'Americo, Fêve délira du nom d'Americo. Il se leva en tremblant et se glissa dans le divan près de Madeleine qui ne put l'étreindre car elle rêvait aussi. Elle rêvait qu'elle était poursuivie par un troupeau de caribous que des hommes à tête de caribous effrayaient, les dirigeant vers une falaise d'où ils tombaient les uns sur les autres et se tuaient. Puis, elle participait avec d'autres enfants et un essaim de femmes de sa tribu au rabattage de ces bêtes.

Il y a quelqu'un qui reprend mon conte.
Je vais bientôt perdre la voix.
Ainsi se dévide l'écheveau des contes désertiques.
Mais je vais encore conter tant que mon souffle dure.
Tant que dure ma voix.

Alors,
quand ses cheveux tournèrent au gris, et que le vent eut fini de creuser sur son visage toutes les lignes du temps, elle s'assit.
Je parle de Mariam Nour.
Elle s'assit sous un figuier nain.
À l'ombre d'un figuier nain que les autres toisaient de leur feuillage fertile.
À l'ombre d'un figuier nain et rabougri, elle s'installa, et, sur une pierre issue d'un rocher ancien que la mer avait craché un jour de colère, elle posa ses onguents et attendit.

Il paraît qu'elle attend l'assistance de l'esprit assassiné d'amour.
Les filles blessées en passant la cherchent mais ne la voient plus.
Comme par miracle quand elles passent près de ce figuier nain, leurs blessures se pansent.
Comme par miracle.
On a pris l'habitude d'effleurer ce figuier en faisant un vœu quand la lune s'éclipse.
Le plus fou des fous du village désertique dit la voir encore.
Il dit qu'elle est grise et grise et ridée de sable.
Dans la nuit d'hier il hurlait.
C'est Fêve qui hurle.
Il hurle dans la nuit...
Il hurle sur la mer...
Je vous dit que c'est Fêve qui hurle...
Sa voix s'écaille comme une dorade expirante...
Des épines poussent sur ses cordes vocales...
Il émet des sons hachés...
Des sons qui se mêlent au silence...
Qui forment des phrases...
Lointaines...
Décodables seulement à l'oreille des glaneurs de contes..
..
....

C'est Madeleine qui reçut la lettre de l'immigration.

C'est Madeleine qui nota la date limite fixée pour le départ.

C'est Madeleine qui l'annonça à Fêve.

C'est Madeleine qui l'emmena encore au bureau de l'immigration pour expliquer que c'était sans doute une erreur et essayer d'obtenir un sursis.

C'est Madeleine qui leur expliqua, cette fois dans son langage, pourquoi il ne pouvait obtenir les papiers qu'on lui demandait.

C'est Madeleine qui les injuria encore et les accusa de cruauté.

C'est Madeleine qui leur affirma que c'était une erreur, une erreur inhumaine, une autre injustice qu'ils pourront inscrire dans leur livre d'histoire.

C'est Madeleine qui dans la rue marmonnait encore... «Qui a dit que l'erreur est humaine!... l'erreur est inhumaine... inhumaine...»

C'est Madeleine qui rangea les effets de Fêve, en ce juillet aussi chaud qu'un juillet du désert.

Notre-Dame-de-Bon-Secours veille sur le port. Surveille les bateaux amarrés au port de Montréal. Accueille ceux qui accostent et salue ceux qui prennent le large. Porte le souvenir de ces colons-marins débarqués à Ville-Marie cherchant la liberté. Porte la flamme de tous ceux qui repartent en lutte pour la survie et qui l'implorent de revenir.

Chacun de nous a ses assises. Chacun de nous a ses totems, ses fétiches, ses amulettes, ses images sanctifiées auxquelles il se raccroche au bout du désespoir. Chacun de nous a ses symboles, son signe d'éternité.

Avant d'entrer dans le port, Fêve s'arrêta et demanda à Madeleine de l'attendre.

Il courut vers la chapelle des marins.

Au moment où Fêve monta sur la passerelle, chargé de ses deux valises pleines, il tonna. Il tonna, et la pluie s'abattit violemment sur le fleuve, et les feuilles des arbres jaunirent et se mirent à tomber comme si soudain le démon de l'automne avait voulu court-circuiter l'été. Madeleine, trempée de la tête aux chevilles, avait les yeux rivés au pont sur lequel se tenait Fêve impassible. Quand la sirène du bateau annonça la levée de l'ancre, les cheveux de Madeleine soudain se raidirent et se mirent à pousser jusqu'à atteindre ses chevilles. Elle se mit à mincir comme si l'eau de la pluie emportait tout le gras de sa chair. Des sons commencèrent à s'échapper de sa bouche, des sons, des sons, des sons qui formaient des mots inconnus, méconnus, méconnus...

Madeleine appelle, appelle, appelle ses langues d'origine... Béothuk, Tlimgit, Haïda, Tsimshian, Wakashan, Salishan, Jutenai.....

....

... Madeleine appelle, appelle, appelle ses peuples d'origine... Kutchin-loucheux, Peaux de Lièvres, Dagrit, Couteaux Jaunes, Nahanis, Chipewyan, Castors, Sekami, Micmacs, Malécites, Naskapi, Mistassins, Moskégons, Algonkins, Ojibways, Tête de Boule, Crow, Cris......

....

... Madeleine appelle, appelle, appelle ses prophètes... Shawnee Tecumseh, Ten-Squah-Tah-Wah, Pontiac, Sachem Ottawa, Wowocka,

HandsomeLake...
...Madeleine appelle, appelle, appelle ses guerriers... Sitting Bull, Red Cloud, Crazy Horse, Spotted Tail, Cochise, Geronimo ....
... Plus le bateau s'éloignait du port, plus elle devenait mince, mince, jusqu'à la transparence, jusqu'à la disparition. Alors Fêve, de loin, leva la main droite vers le ciel et hurla: «MARIAM NOURRR......»

En rentrant à la maison, Madeleine appelait encore les Sioux, les Dakotas, les Hurons, les Iroquois, les Cheyennes, les Apaches, les Arapahos... Les rues étaient sèches et le soleil plombait. Dans la rue, elle dissimula ses longs cheveux sous son imperméable trempé et rentra dans le petit immeuble. La concierge, en souriant, l'attendait avec sa fille sur le pas de sa porte. Madeleine se souvint alors qu'elle devait garder l'enfant pour deux jours. Elle prit la petite par la main, monta avec elle et l'installa dans la chambre de Fêve.

Alors, dit Madeleine à l'enfant, *les Espagnols obligèrent les Indiens à devenir chrétiens et à travailler dans les mines. Alors, ils se sont révoltés et se sont mis à détruire tous les ranchs, et les chevaux s'enfuirent et se mirent à galoper dans la nature, ils devinrent des chevaux sauvages, tu sais, les mustangs, ce sont leurs petits-enfants.*

Alors, les anglo-saxons, eux, ne voulaient pas les Indiens, ils voulaient seulement leurs terres. C'était simple, ils les ont repoussés vers l'Ouest, où ils les ont exterminés.

Alors, les Indiens ont fini par comprendre qu'il fallait se soumettre et s'adapter pour subsister.

Alors, cinq tribus d'Indiens se sont mises à s'adapter tout en gardant leurs traditions et leur culture. Ils ouvrirent des écoles, composèrent un alphabet, publièrent des journaux et rédigèrent une constitution. Mais, un Grand Malin alla dire à l'oreille du Blanc qu'on avait découvert de l'or sous leur territoire.

Alors, les cinq tribus furent chassées et déportées vers l'Oklahoma...

Bonne nuit mon enfant...

Elle s'appelait Madeleine.

Elle s'appelle Manitakawa.

Elle arriva sur la réserve indienne par un jour de blizzard, chargée d'un gros sac de plastique vert plein de papiers froissés. Elle n'eut pas à montrer patte blanche, sa langue ancienne ayant rejailli comme un fleuve dont les barrages artificiels avaient cédé. On l'intégra sans hésiter au Conseil des Anciens.

À l'aube, elle se faufile dans la forêt boréale pour cueillir des noix et des baies sauvages. Tout au long du jour, elle participe activement à la chorale secrète des survivants de sa tribu. Au crépuscule, elle dirige son regard vers l'Est du Monde et lit dans les nuages. Les jours de clairvoyance, elle aperçoit, incrustée dans un talus de sable, au cœur d'un désert, à l'ombre d'un palmier nain, à quelques coudées de la mer, une silhouette fouettée par une brise marine, qui ramène à ses narines l'odeur des algues macérées depuis des millénaires dans le fond de la mer ou dans le creux d'un conte. Alors elle plisse les paupières afin que le rayon réverbéré sur le front d'une ombre épargne de son brasier les pupilles de ses yeux noirs.

Et le soir, autour du feu de bois, quand les enfants sont sages, en attendant que tourne la saison, elle ouvre son sac de plastique vert et leur chante des contes, beaux et cruels, des multicontes de l'exil.

Alors,
Il y avait une figue verte voilée de gris, une figue d'un vert mystique, qui estivait et hivernait, sous les soleils et sous les lunes, sur la branche d'un figuier nain.

Il paraît qu'un être passa un jour, voilé de vert comme les figuiers, et qu'il l'arracha de la branche, l'éplucha et la mangea.

Il paraît qu'un être passa un jour, voilé de vert comme les figuiers, et qu'il la cueillit doucement, elle était sèche, il l'enterra.

Il paraît qu'un être passa un jour, voilé de vert comme les figuiers, et qu'il la détacha, lui ôta ses épines et la lava dans la mer.

Choisissez...
C'est ainsi que finissent les contes désertiques.

Conversion et montage:
Atelier de composition LHR

Achevé d'imprimer en mars 1990
sur les presses des Ateliers graphiques Marc Veilleux
à Cap-Saint-Ignace, Québec.